1 6 0 8 - 2 0 0 8

400 ANS DE GASTRONOMIE À QUÉBEC
400 YEARS OF GASTRONOMIC HISTORY IN QUEBEC CITY

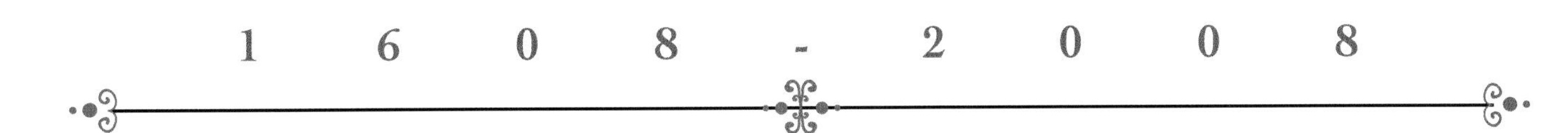

400 ANS DE GASTRONOMIE À QUÉBEC
400 YEARS OF GASTRONOMIC HISTORY IN QUEBEC CITY

TEXTES COLLIGÉS ET COMMENTÉS PAR
TEXTS COLLECTED AND COMMENTED BY
JEAN SOULARD

RECETTES DE RECIPES BY
JEAN SOULARD

REMERCIEMENTS

Je tiens à remercier les personnes qui m'ont aidé, de près ou de loin, à réaliser cet ouvrage:

Un grand merci tout d'abord à mes collègues du Château Frontenac.

Un grand merci également à tous les membres de l'équipe de production, avec lesquels j'ai plaisir à travailler depuis quelques années, pour l'assistance et le professionnalisme dont ils font preuve dans leurs tâches respectives.

Jean Soulard

ACKNOWLEDGMENTS

I wish to thank everyone who helped me create this book:

A very special thank you to my colleagues of the Château Frontenac.

A warm thank you to the production collaborators with whom I have enjoyed working for a number of years now, for their help, expertise and professionalism.

Jean Soulard

Conception de l'ouvrage: **Jean Soulard**

Réalisation: **Communiplex Marketing inc.**

Coordination de la production: **Diane Couturier Services Conseils inc.**

Conception graphique et mise en pages: **Adigraph**

Textes et recettes: **Jean Soulard**

Adaptation anglaise: **Michèle Noiseux**

Recherche iconographique: **Alexandra Hamel**

Impression: **Litho Mille-Iles ltée**

Dépôt légal, quatrième trimestre 2007
Bibliothèque nationale du Québec
Bibliothèque nationale du Canada

ISBN 978-2-9807266-9-9

Édité par Communiplex Marketing inc.
210 rue Roland-Jeanneau
Verdun, Québec, Canada H3E 1R5
Courriel: info@communiplex .ca
Téléphone: 514-769-3533

Imprimé au Canada

Concept: **Jean Soulard**

Production: **Communiplex Marketing inc.**

Production coordinator: **Diane Couturier Services Conseils inc.**

Cover and design: **Adigraph**

Text and Recipes: **Jean Soulard**

English adaptation: **Michèle Noiseux**

Pictures and illustrations research: **Alexandra Hamel**

Printing: **Litho Mille-Iles Ltd**

Legal deposit: fourth quarter 2007
Bibliothèque nationale du Québec
National Library of Canada

ISBN 978-2-9807266-9-9

Published by Communiplex Marketing inc.
210 Roland-Jeanneau
Verdun, Quebec, Canada H3E 1R5
E-mail: info@communiplex .ca
Phone: 514-769-3533

Printed in Canada

Pour Gabriel, mon petit-fils

For Gabriel, my grandson

Le 400e anniversaire de la ville de Québec est une célébration grandiose de notre ville et de notre culture. L'histoire fascinante de nos traditions culinaires a toujours été grandement influencée par les ressources naturelles de notre région. La richesse des produits locaux, combinée aux influences culinaires européennes, nous ont permis de développer une gastronomie unique et innovatrice qui continue d'être appréciée encore aujourd'hui. Le chef Soulard a fait un travail de recherche remarquable sur l'histoire de la cuisine de Québec à travers les siècles et nous fait redécouvrir ces plats en y ajoutant sa touche personnelle. J'espère que vous profiterez de ce parcours culinaire fascinant ainsi que des délicieuses recettes à saveur locale pendant de nombreuses années.

Robert Mercure
DIRECTEUR GÉNÉRAL, FAIRMONT LE CHÂTEAU FRONTENAC

The 400th anniversary of Quebec City is a grandiose celebration of our city and our culture. This fascinating history of our culinary traditions has been very much influenced by our region's natural resources. The wealth of local products, combined with European influences, have developed a unique and creative culinary offering that can still be enjoyed today. Chef Soulard has done amazing research on Quebec City's historical cuisine throughout the centuries and has brought back some recipes from our past with a touch of his personal inspiration. I hope you will take pleasure in this fascinating culinary journey and delicious local dishes for many years to come.

Robert Mercure
GENERAL MANAGER, FAIRMONT LE CHÂTEAU FRONTENAC

Table des matières

Table of Contents

Je ne suis pas un historien, je suis un cuisinier qui aime l'histoire et, bien sûr, pour ce 400e anniversaire de Québec, ce fut un réel plaisir de me plonger dans de nombreux ouvrages afin de mieux comprendre ce que la gastronomie, ou plus simplement ce que la nourriture représentait tout au long de ces quatre siècles qui ont marqué l'évolution de la vie à Québec. Loin de moi l'idée d'avoir voulu écrire quelques pages littéraires ; j'ai plutôt essayé de retracer et de mettre en contexte ce que l'on a pu retrouver dans les assiettes au fil des années, depuis l'établissement de la colonie en Nouvelle-France jusqu'à nos jours.

S'intéresser à l'histoire de la nourriture, c'est nécessairement s'intéresser au contexte et aux manières de faire et c'est aussi parler de recettes. Mais peut-on vraiment reconstituer les recettes du passé ? Peut-on retrouver les goûts de ces temps anciens ? Est-ce que la conception du bon goût est équivalente aujourd'hui à ce qu'elle était au cours des siècles passés ? À toutes ces questions, la réponse est non. Si l'on s'en remet aux témoignages que nous possédons des gens qui ont vécu il y a trois et quatre siècles, on peut constater par exemple une préférence pour les chairs plus grasses et les goûts plus prononcés. Les épices sont reines dans les plats pour sans doute « cacher la misère » de la qualité des ingrédients en raison d'une conservation déficiente. On peut d'ailleurs retrouver dans certains ouvrages d'alors, des indications pour éliminer les vers de la viande avant la cuisson. Entre le XVIIe et le XVIIIe siècle, dans les quelques vieux manuscrits répertoriés, on n'indique nullement les quantités, encore moins celles des épices utilisées ; on n'indique pas non plus le temps de cuisson et il faut parfois faire preuve de beaucoup d'imagination pour comprendre la technique utilisée. En vous proposant les recettes qui accompagnent cet ouvrage, j'ai cherché à éviter de reproduire des menus très élaborés d'une quinzaine de plats et des recettes pour 12 à 15 personnes. Il est vrai qu'à l'époque, les invités n'avaient pas à goûter tous les plats et que l'on cherchait surtout à mettre sur la table de quoi satisfaire tous les goûts. Vous retrouverez à l'intérieur de chaque chapitre un menu de 4 à 5 plats dont les portions sont habituellement prévues pour quatre personnes, ce qui, je crois, correspond davantage à la réalité actuelle.

Jusque vers le milieu du XIXe siècle, la cuisine qui se pratique ici est européenne, française, puis anglaise d'inspiration, pour la simple raison que les cuisiniers officiant dans les endroits les plus en vue, sont européens et par définition, leurs ouvrages et leurs techniques le sont aussi. Un bon nombre de produits et d'assaisonnements sont également importés. Il est inutile d'ajouter que les grands classiques ou plats régionaux bien connus et usuels en Europe s'adaptent avec beaucoup plus de difficulté une fois arrivés à destination. Car si la cuisine peut bien voyager et surtout les ingrédients qui la composent, elle a plus de difficulté à voyager dans le temps.

Mentionnons aussi que les produits ont changé. Le navet ou le panais du XVIIe siècle ne ressemble assurément pas au navet ou au panais d'aujourd'hui. Les plantes d'autrefois étaient bien souvent laissées à la nature, la dégénérescence des espèces amenant souvent la nécessité d'apporter de nouvelles semences d'Europe. A-t-on aussi besoin de mentionner toutes les manipulations génétiques subies par les plantes au fil des ans pour comprendre que le goût, et parfois la texture d'origine, a évolué au cours des siècles ?

En résumé, l'idée de présenter les recettes des siècles passés était pour moi une question d'interprétation. Je tenais surtout à ce que l'on puisse les réaliser avec succès et que l'on en tire un plaisir. S'il y a une tendance que l'on peut constater à travers les 400 ans de la vie culinaire à Québec, c'est que la convivialité était omniprésente, et que le plaisir de la table et de se retrouver autour de la table, n'ont jamais semblé se démentir. Continuons à être à la hauteur de cet héritage.

Jean Soulard

I am not a historian. Rather, I am a cook who enjoys history. And so, to celebrate the 400th anniversary of Quebec City, what could be more fitting than a visit to our ancestors' table to study their epicurean evolution? I took great pleasure in poring over a vast amount of material to better understand what role food played throughout the four centuries of their lives in this city.

Far be it from me to bring a literary piece to the table; I simply attempted to discover the content of our ancestors' plate and establish its background from the time the colony of Nouvelle-France was established all the way to the present.

The history of food automatically conjures up images of recipes. But, can recipes from the past be recreated? More to the point, is it possible to recapture the flavour of a bygone era? What constituted "good taste" at that time? Can it be compared to what we acknowledge today? Inevitably, the answer is "no". Written accounts of life three and four centuries ago have led us to understand that people preferred fattier meats and bold-tasting food. Spices were used profusely to mask the poor quality of ingredients due to poor food preservation. In many works dating back to that period, there are actually notes explaining how to remove worms from meat prior to cooking. In manuscripts from the period between the XVIIth and XVIIIth centuries, there is never any mention of specific quantities, or even types of spices used. There are no cooking time instructions; thus, ascertaining the proper technique used in each case is left very much to the imagination. In offering you the choice recipes you will discover throughout these pages, I hoped to avoid replicating elaborate, 15-course dishes or recipes for 12 to 15 people. The truth is that during that era, guests were not expected to taste each dish; essentially, the variety of food brought to the table was chosen to satisfy a wide range of tastes. Each chapter contains a menu comprised of four or five dishes; each one prepared to serve four people, more in keeping with today's standards.

Up to the middle of the XIXth century, culinary practices in Quebec were primarily of European, French and English influence. The reason for this is very simple: chefs officiating at the most prestigious eateries are European, and by definition, their techniques and their writings are also European. Moreover, they import a number of products and seasonings. It is safe to say that culinary classics or well-know, typical European regional dishes did not fare well here. Recipes may journey well across continents, as might their ingredients, but travels through time are not quite as successful!

And let us not forget that produce has evolved. The XVIIth century turnip or parsnip may not resemble today's species, to be sure. Plants of yore were often left to the capricious ways of Mother Nature; thus degeneration of various specimens compelled people to carry seeds from Europe to replenish viable stocks. Is there any need to talk about the genetic manipulations to which many plants have been subjected over the years to clearly understand the ways in which their original taste and even their texture might have evolved throughout the centuries?

In conclusion, my simple wish here was to interpret these recipes of centuries gone by and introduce them to you. My intent was that they be easy to prepare, and that you enjoy them. In all the 400 years of culinary activity in Quebec, a single thread runs through them: the conviviality is ever present; the pleasure of sharing a meal, sitting at the table with friends and family cannot be denied. This is our legacy, let us keep it alive.

Jean Soulard

XVIe ET XVIIe SIÈCLE : L'arrivée des Français à Québec

Pour bien comprendre notre histoire culinaire, il est important de se rappeler les origines, les circonstances et le contexte dans lequel sont arrivés en Nouvelle-France les premiers colons français.

La majorité de ces immigrants provenaient du nord-ouest de la France, à savoir la Bretagne, le Poitou, la Normandie, le Perche, la Loire, le Saint-Onge et l'île de France. Ils avaient quitté la mère-patrie à l'incitation de la Compagnie des Cent-Associés, à qui le roi avait donné la responsabilité de former une puissante colonie en Nouvelle-France. L'effort de colonisation amorcé en 1628, débuta difficilement et ne se poursuivit qu'avec lenteur et c'est à peine si en 1663 la colonie compte un peu plus de trois mille habitants. Suite à la démission de la Cie des Cent-Associés en 1663, le roi Louis XIV sous la poussée de Colbert, son contrôleur général des finances, entreprend une véritable entreprise de colonisation de la Nouvelle-France. La plus grande partie de ces premiers colons arrivera donc entre 1663 et 1673, soit plus de 100 ans après la découverte du Canada et de la vallée du Saint-Laurent par Jacques-Cartier en 1534.

Les motivations de ces premiers Français qui viennent s'installer en Nouvelle-France sont diverses. Certains voient dans cette expatriation une opportunité de se sortir de leur misère et de venir s'établir sur une terre ou pratiquer le commerce des fourrures, chose qui leur sera cependant interdite jusqu'à la révocation du monopole accordé à la Cie des Indes occidentales en 1674; pour les plus fervents d'entre eux, à l'âme missionnaire, la motivation première est de venir convertir les « sauvages », tandis que d'autres, hommes et femmes, soldats et « filles du roi » sont soit forcés de venir ou attirés par l'aventure, par les grands espaces et par les terres giboyeuses de ce continent nouveau et mystérieux. Les possibilités sont sans fins pour ces quelques milliers de Français qui s'embarquent alors vers l'aventure de la Nouvelle-France.

Arrivée de Champlain à Québec

THE XVIth and XVIIth CENTURIES: The Arrival of the French in Quebec City

To clearly understand our culinary past, we need to consider its origins, its circumstances and the contextual backdrop at the time French settlers came to Nouvelle-France.

Most immigrants originated from the northwest region of France, namely, Brittany, Poitou, Normandy, Perche, Loire, Saint-Onge and Île-de-France. The king of France decreed that the Compagnie des Cent-Associés should establish a solid settlement in Nouvelle-France; these future settlers left their mother country to travel to a new land. The colonization work undertaken in 1628 began arduously and was painstakingly slow; 35 years later, there were barely three thousand people in the new colony. The Compagnie des Cent-Associés resigned in 1663. King Louis XIV, pressed by his State Financial Controller Colbert, undertook in earnest the business of colonizing Nouvelle-France. And so it was that the majority of these first settlers arrived between 1663 and 1673, some one hundred years after Jacques Cartier had discovered Canada and the St. Lawrence Valley in 1534.

Several factors motivated the French colonists to settle in Nouvelle-France. A number of them saw this as a way to escape the poverty they had known in their own country and establish themselves on a piece of land, or even become involved in the fur trade; this livelihood would be forbidden to them, however, until the monopoly of the French West India Company was lifted in 1674. For others, blessed with missionary zeal, it was the desire to convert the "savages". A number of men and women, soldiers and "filles du roy", are fascinated with the notion of adventure, the wide open spaces and the hunting prospects that this new and mysterious continent might yield. The opportunities were endless for the few thousand French who boarded the ships that carried them to Nouvelle-France.

Champlain's arrival in Quebec

La population s'accroîtra par vagues successives d'émigrants à quelques 12 000 âmes en 1688 pour atteindre les 15 000 au tournant du siècle, et c'est principalement sur les rives du Saint-Laurent et de la rivière Richelieu que ces premiers colons s'établieront.

Ces colons étaient pour moitié d'origine citadine et, pour la plupart, artisans de métier. Bon nombre d'entre eux vont, malgré leur peu d'expérience dans ce domaine, vouloir profiter du « régime seigneurial » récemment mis en place en Nouvelle-France qui octroyait des concessions de terres aux nouveaux colons et ils vont choisir de se recycler dans l'agriculture pour mieux assurer leur subsistance. Le travail de la terre, bien que particulièrement pénible pour la majorité d'entre eux, leur apporte quelques satisfactions. Les légumes poussent en abondance sur ces terres riveraines riches en alluvions et les cultures indigènes comme le haricot, le maïs et le blé, sont bientôt maîtrisées et produites en quantité suffisante pour permettre l'exportation. Sous l'intendance de Jean-Talon, l'élevage est encouragé. L'intendant fait venir de France des moutons et des bovidés en grand nombre et commence à installer un commerce triangulaire à partir de la Nouvelle-France vers les Antilles et la mère-patrie qui connaîtra assez rapidement un certain succès.

Une alliance ne tardera pas à se faire entre les peuples autochtones, majoritairement algonquins et ces Français nouvellement arrivés au pays. Cette collaboration est alors essentielle pour les colons qui apprennent à apprivoiser un mode de vie, un climat et un régime alimentaire différents. A l'occasion, certaines techniques de conservation des Amérindiens sont utilisées par les nouveaux arrivants, comme le fumage des viandes et surtout du poisson. Cependant, le fumage ne remplace pas la salaison, méthode fort utilisée en Europe pour la conservation des aliments. Une autre technique autochtone qui consiste à enfouir les aliments dans le sol, en hiver, pour les protéger du gel, est très populaire. Les plantes cultivées par les Amérindiens se retrouvent ainsi sur la table de ces nouveaux arrivants : le maïs, le tournesol, les citrouilles (une espèce très grosse inconnue des Européens) les haricots, les courges iroquoises et plusieurs autres espèces de cucurbitacées. Le maïs ne soulève pas l'enthousiasme des Français, sauf frais en épis, tradition qui se conservera dans nos habitudes avec nos fameuses épluchettes de blé d'inde. En ce qui concerne le tournesol, bien que l'on note la qualité de son huile, on continuera d'importer de l'huile d'olive d'Europe. Le tabac est bien sûr cultivé. Quant à la flore sauvage, mis à part les petits fruits tels les fraises, les framboises, les groseilles et les gadelles, qui sont déjà connus dans leur version européenne, ainsi que les bleuets et l'atoca, il est étrange de constater qu'elle ne modifiera pas les mœurs alimentaires des Français. Ainsi les herbes sauvages fraîches telles le persil, le cerfeuil, la ciboulette et même l'ail, ne susciteront pas l'intérêt des Français et elles ne parviendront pas à remplacer, au moins momentanément, les espèces domestiques apportées de France.[1]

FAIT HISTORIQUE

[1] *Les plantes potagères viennent assez bien dans cette région-ci. Les choux pommés sont très beaux, bien qu'ils aient souffert, cette année, des vers qui mangent la feuille et y font trou sur trou. Je n'ai vu de patates dans aucun jardin, ni de l'espèce appelée Solanum, ni du Convolvulus; j'ai visité la plupart des jardins potagers de valeur, mais je n'en ai trouvé nulle part; quand j'ai demandé aux gens pourquoi ils n'en n'avaient pas, on m'a répondu qu'on appréciait aucune des deux; les Français se moquent des Anglais qui les trouvent à leur goût. En aucun endroit je n'ai pu voir des topinambours, pas plus que des panais; mais il y a beaucoup d'oignons rouges et d'autres espèces d'oignons, beaucoup de courges, de melons, de squashs, de citronnelles, de laitue, de chicorée, et également des radis rouges; radis noirs et radis rouges ne sont pas en grande quantité; il y a des betteraves rouges en assez grande quantité; relativement beaucoup de pois et de phaseoli (le haricot ordinaire); des concombres, du thym, de la marjolaine en assez bonne quantité. Les gens qui font le commerce de ces légumes depuis plusieurs années et ont l'expérience de la culture maraîchère, me disent qu'après avoir semé des graines reçues de France et en avoir récoltées ainsi durant trois générations, ils ont obtenu des graines qui avaient perdu leur vitalité et n'étaient plus bonnes à rien. Les plantes qui en proviennent ne peuvent entrer en comparaison avec les premières récoltées. Il faut donc faire venir de nouveau des graines de France. Cela s'applique aux betteraves rouges et à d'autres plantes. L'Amérique entière ignore le chou-rave. Je n'ai pas rencontré non plus de navet sur toute l'étendue du Canada. Je n'ai jamais vu utiliser de moutarde.*

(Extrait tiré de : Rousseau, J. et G. Béthune, 1977. *Voyage de Pehr Kalm au Canada en 1749.* Traduction annotée du journal de route. Pierre Tisseyre, Montréal)

HISTORIC FACT RECORDED

[1] Garden vegetables grow quite nicely in this region. Head cabbages are beautiful, although they have been afflicted this year by worms that eat the leaves and bore hole after hole. I have seen no potatoes in the gardens, and neither mushroom nor wild morning-glory are to be found. I have visited most creditable vegetable gardens and I have found none at all. When I asked people why they did not have any, they simply replied that they welcomed neither one. The French make fun of the English who actually find them tasty. Nowhere was I able to find artichokes or even parsnip. There are, nevertheless many red onions and other species of onions, a large number of gourds, melons, squash, lemon verbena, lettuce, chicory as well as red radishes. Black and red radishes are not abundant; yet, there are red beets in reasonably large quantities as well as peas, and common beans; there are cucumbers, thyme and marjoram in reasonable amounts also. People who have been involved in the production and sale of these vegetables for a number of years and who have gained experience in growing vegetable crops tell me that seeds received from France, once sown and harvested for three generations, have been weakened and were no longer edible. The old plants cannot compare to the first crop. Thus, they must import new seeds from France. The same holds true for red beets as well as other plants. Common turnip is unknown in America. I have also failed to see any Turnip in all of Canada. And nowhere did I see anyone use mustard.

(Excerpt from *Travels Into North America, Pehr Kalm in 1749* written by Rousseau, J. and G. Béthune, 1977. Annotated translation. Pierre Tisseyre, Montréal)

Waves of new emigrants helped populate the new territory. There were 12,000 people in 1688 and at the turn of the century, this figure rose to 15,000 inhabitants, most of them established along the shores of the St. Lawrence and the Richelieu River.

At least half of these settlers were city folk; and almost all were craftsmen by trade. A number of them chose to make the most of the "seigneurial plan" recently established in Nouvelle-France whereby new colonists were granted parcels of land. Thus, many settlers exchanged their trade tools for agricultural implements in the hopes of a better life. Working the land was an arduous undertaking for many of them, but it did afford them some rewards: vegetables grew in abundance in the rich alluvial soil along the river's edge. Farmers soon learned to control and harvest native crops such as beans, corn and wheat in sufficient abundance to allow them to export some of them. Soon, livestock production was encouraged under the stewardship of Jean Talon. This administrator had a large number of sheep and cattle brought over from France, and undertook triangular trade between Nouvelle-France, the West Indies and the mother country with almost immediate success.

Within a short span of time, the newly-settled French formed an alliance with the Native people, mainly those of the Algonquin tribe. This association was essential for the survival of the colonists attempting to adapt to a new lifestyle, a new climate and distinctive eating habits. In some instances, settlers adopted some of the aboriginal methods of preserving, such as smoking meat and fish, though these techniques did not replace the accustomed salting used in Europe. However, the aboriginal practise of burying food underground during the winter months to protect it against freezing became popular among settlers. Thus, corn, sunflowers, tobacco, pumpkin (a very large species unknown to Europeans), beans, Iroquois squash and various other varieties of the gourde family, all cultivated by the Indians, soon appeared on the colonists' menu. Corn did not immediately appeal to the French, except as fresh ears; this will soon become a mainstay of future generations of corn roast enthusiasts. Sunflower oil, despite its noted quality, was no match for the imported olive oil that people continued to consume. With the exception of small fruits such as strawberries, raspberries, gooseberries and red currant that are well known in the French people's native land, the wild flora of Quebec did not become an integral part of the new settlers' eating habits. They were attracted to the newly-discovered blueberry, cranberry and indigenous nuts, whereas parsley, chervil, chives and even garlic seemed to garner very little interest. Indeed, these herbs would not soon replace the domestic varieties imported from their native France.[1]

Wine was a vital beverage to the French who arrive in Nouvelle-France. It was symbolic of the Christian faith as well as a significant part of the civilized world, two fundamental elements that are quite indispensable in the establishment of the new settlement. Unfortunately, the wild vine, though quite profuse, was a disappointment: it lent itself poorly to winemaking. Though the soil appeared promising, it did not produce or deliver the desired effect. Despite many years of toil and hardship, there was no choice but to import this

Pour les Français qui arrivent en Nouvelle-France, le vin est une boisson jugée essentielle à la santé. Il s'agit également d'un symbole de la foi chrétienne et un fait de civilisation, deux éléments qui ont leur importance en ce début d'implantation de la nouvelle colonie. La vigne sauvage, bien qu'abondante, s'avère toutefois une déception car elle se prête peu à la vinification. La terre pourtant prometteuse ne donne pas les résultats escomptés et tant attendus. Après des années d'acharnement, on se tourne finalement vers l'importation de quantités considérables de cette divine boisson. Si les nouveaux colons français sont prêts à faire bien des sacrifices, ils n'en perdent pas moins leurs bonnes manières !

C'est l'eau d'érable qui transformera le plus les habitudes culinaires des colons français. Si les Amérindiens ont découvert que la sève des érables était sucrée[2], ce sont les Français qui, inspirés par leur voisins autochtones, furent les premiers à chauffer et produire dans leurs marmites, du sirop d'érable.[3] En 1685, Michel Sarasin, un médecin canadien d'origine bourguignonne tente quelques expériences scientifiques avec l'eau d'érable. Il cherche alors un moyen de guérir le scorbut, une maladie causée par la déficience alimentaire et une carence en vitamine C, dont plusieurs marins au retour de leur traversée de l'Atlantique étaient atteints. Le sirop est utilisé comme remède pour calmer les maux comme le rhume et la fièvre.[4] Au début du XVIIIe siècle, on commence à en faire la production pour en faire le commerce, mais sans grand succès. Les Européens préfèrent encore le sucre de canne des Antilles qu'ils considèrent plus raffiné. Il faudra attendre encore bien des décennies avant que le produit de notre emblème national ne suscite un intérêt à l'étranger.[5]

Vers la fin du XVIIe siècle, on commence tranquillement à parler d'une population « canadienne » plutôt que d'une population française. Les « Canadiens-Français » qui peu à peu se découvrent une nouvelle identité cherchent à se distinguer de leur pays d'origine et préfèrent le terme « habitant » à celui de « paysan ». Cette distinction est également valable pour la cuisine. Le métissage des habitudes alimentaires et des traditions culinaires des différentes régions de France dont proviennent les premiers émigrants de la Nouvelle-France, combiné avec l'utilisation de produits locaux jusqu'alors inconnus, serait à l'origine d'une « nouvelle cuisine française ». Il s'agit, selon l'historien Jacques Lacoursière, d'un phénomène qui se constate également au niveau de la langue parlée qui se métisse à force de chercher à conjuguer les dialectes des différents terroirs dont sont issus ces émigrants français.

Commentaires

[3] Quand le cri des outardes se fait entendre, c'est que le temps des sucres est terminé. Il faut alors cesser les coulées avant que la sève ne prennent un goût trop âcre.

[4] On découvre également les bienfaits de la soupe au chou, de la bière d'épinette et de la tisane au thuya (que l'on appelle à tort le cèdre au Québec), aliments qui contiennent tous de la vitamine C en quantité.

[5] Au Canada, on exporte près de 80 millions de litres de sirop par année, soit le trois-quart de la production mondiale. Le Japon est aujourd'hui le plus grand importateur de sirop d'érable. À quand les sushi à la cabane à sucre ?

ANECDOTE

[2] UNE LÉGENDE AMÉRINDIENNE RACONTE LA DÉCOUVERTE DE LA SÈVE D'ÉRABLE PAR UNE JEUNE AUTOCHTONE. SE PROMENANT DANS LE BOIS, ELLE AURAIT OBSERVÉ UN ÉCUREUIL (D'AUTRES DIRONT UN OISEAU) LÉCHANT UNE BRANCHE CASSÉE D'UN ÉRABLE. ELLE Y GOÛTA À SON TOUR ET RÉPANDIT AUSSITÔT LA NOUVELLE DE SA DÉCOUVERTE.

Préparation du sucre d'érable au Bas-Canada

marvellous nectar from the mother land. The new French colonists may have been willing to sacrifice a great deal when settling in Nouvelle-France, yet they refused to leave their good lifestyle far behind!!

Maple sap was the single food item that most radically altered the culinary habits of French colonists. For even though the Indians determined that maple sap was sweet-tasting[2], the French, following their neighbours' initial discovery, were the first to heat this maple water in large cauldrons and produce maple syrup[3]. In 1685, Michel Sarasin, a Canadian doctor originally from the Burgundy region of France, attempted a few scientific experiments with maple sap with a view to curing scurvy, an illness caused by a severe dietary and vitamin C deficiency; many sailors were afflicted with this ailment upon returning from trans-Atlantic crossings. The syrup was used to relieve cold symptoms and reduce the accompanying fever[4]. Early in the XVIIIth century, settlers began to mass-produce the syrup for commercial purposes with little success. It seems Europeans still preferred West Indian cane sugar: it was more refined. Many decades would need to run their course before this national delicacy finally attracted foreign attention![5]

Toward the end of the XVIIth century, French settlers gradually became identified as "Canadian" rather than "French". French-Canadians slowly discovered a new identity and strove to set themselves apart from their country of origin: they would rather be known as "residents" than as "peasants". This distinction also became meaningful in the kitchen. The fusion of eating habits and culinary traditions belonging to diverse regions of France from which the first settlers came, together with previously unknown local produce and ingredients would soon lead to the "new French cuisine". According to historian Jacques Lacoursière, this phenomenon also holds true with respect to the spoken language as it commingled with various regional dialects spoken by these French immigrants.

Preparation of maple sugar in Lower-Canada

HISTORICAL FOOTNOTE

[2] AN INDIAN LEGEND TELLS US THAT A YOUNG NATIVE GIRL DISCOVERED MAPLE SAP. WHILE WALKING THROUGH THE WOODS, SHE OBSERVED A SQUIRREL (SOME WILL SAY IT WAS A BIRD) LICKING THE BROKEN BRANCH OF A MAPLE TREE. SHE TASTED THIS SAP AND AT ONCE TOLD OTHERS OF HER DISCOVERY.

Comments

[3] When the sounds of the geese can be heard, sugaring-off time is over. The sap run must come to an end, if not, the sap will acquire a bitter taste.

[4] People also began to discover the benefits of cabbage soup, spruce beer and cedar herb tea (incorrectly known as Cedar tree in Québec), all of which contain significant amounts of Vitamin C.

[5] Canada exports close to 80 million litres of maple syrup each year, which amounts to 75 percent of world production. Today, Japan is the world's largest importer of maple syrup. When can we expect sushi on the sugar house menu?

A l'époque de l'exploration du Canada, les paysans français d'Europe se nourrissent au quotidien de bouillie de céréales et de légumes, la viande sur leur table étant plutôt rare. Dès lors on comprend mieux l'étonnement des colons face à l'abondance du gibier en Nouvelle-France. Les comparaisons de goût se font aisément entre l'orignal et le bœuf, l'ours et le porc, le castor et le mouton ou de façon plus exotique, entre le porc-épic et le cochon de lait ou bien entre la marmotte et le lièvre ou l'écureuil sans parler de la viande de chevreuil qui surpasse en saveur toutes les autres viandes. Mentionnons aussi que le gibier à plumes tel que l'oie, l'outarde, la perdrix, la sarcelle et le canard se trouve à l'état sauvage en abondance. Que dire aussi de ce qui se retrouve dans les lacs, les rivières et le fleuve qui regorgent de nombreuses espèces telles que la truite, le saumon, le bar, l'alose, le brochet, le doré, le corégone, l'anguille et l'esturgeon. Ils sont loin d'être négligeables ces poissons, quand on sait qu'à cette époque le clergé imposait un[6] calendrier de jeûne pendant presque la moitié de l'année ![7] Ce n'est pas avant 1844 que l'église acceptera de réduire de moitié le nombre de jours maigres à respecter.[8]

Sur la table du colon de la Nouvelle-France, on retrouve également de la bouillie, surtout de la fricassée, faite à partir de gibier, de pain et de lard, beaucoup de lard; mais la base de l'alimentation se constitue en bonne part de pain. Les habitants en consomment une à deux livres par jour et c'est pour cette raison que la culture des céréales doit se faire en priorité. On cultive le blé, mais aussi le froment, le sarrasin, le seigle, l'orge et l'avoine. Leurs vaches fournissent le lait, le fromage et les autres produits laitiers; leurs poules, les oeufs. Il est crucial pour le colon qui habite loin de la ville d'être presque totalement autosuffisant. Hormis le sel qui sert à conserver les aliments et qui doit être acheté au marché, toute source de nourriture doit provenir de ses terres, parfois capricieuses et de l'environnement immédiat duquel il dépend pour survivre.

ANECDOTES

[7] NOUS SOMMES EN 1660, LA COLONIE A FAIM, L'HIVER S'ANNONCE DIFFICILE ET LES ARRIVAGES DE LA FRANCE SONT IRRÉGULIERS; COMBLE DU MALHEUR, C'EST LE CARÊME QUI COMMENCE BIENTÔT. MONSEIGNEUR DE LAVAL RÉALISE QUE PLUSIEURS COLONS RISQUENT DE NE PAS SURVIVRE À UN RÉGIME EXCLUANT TOUTE CONSOMMATION DE VIANDE PENDANT 40 JOURS SOUS PEINE DE PÊCHÉ MORTEL. CE RÉGIME SEMBLE ENCORE PLUS DIFFICILE POUR LES HURONS NOUVELLEMENT CONVERTIS QUI SONT HABITUÉS À CHASSER LE CASTOR ET D'AUTRES GIBIERS POUR LEUR SURVIE. MONSEIGNEUR DE LAVAL DÉCIDE ALORS DE DEMANDER AUX THÉOLOGIENS DE LA SORBONNE DE TRANCHER LA QUESTION : LE CASTOR EST-IL UN POISSON OU DE LA VIANDE ? COMME L'ANIMAL PASSE LA MAJEURE PARTIE DE SA VIE À SE CACHER AU FOND DE L'EAU, ILS CONCLURENT QUE LE CASTOR DEVAIT FORCÉMENT ÊTRE UN POISSON ET C'EST AINSI QUE LES HABITANTS DE LA NOUVELLE-FRANCE PURENT, LA CONSCIENCE TRANQUILLE, S'ALIMENTER SAINEMENT, TOUT L'HIVER DURANT.

[8] EN 1670, UN CURÉ APPREND QU'UN HOMME AVAIT CONSOMMÉ DE LA VIANDE PENDANT UN JOUR MAIGRE. IL FUT RAPPORTÉ À L'ÉVÊQUE, QUI, À SON TOUR, CONTACTA SON BRAS SÉCULIER AFIN QUE L'HOMME SOIT PUNI. L'ÉTAT, LE BRAS SÉCULIER DE LA SECTE CATHOLIQUE, OBLIGEA L'HOMME À PAYER UNE AMENDE DE 25 LIVRES, SOIT L'ÉQUIVALENT DU TIERS DE SON SALAIRE ANNUEL.

FAIT HISTORIQUE

[6] *Allan Greer note que « la population blanche de la Nouvelle-France ne connaît presque pas de crises graves entraînant une mortalité élevée. Étant donné leur si petit nombre par rapport aux ressources de l'Amérique du Nord, les Canadiens français vivent à l'abri de ces calamités qui déciment leurs cousins européens».*

(Extrait tiré de : Rousseau, J. et G. Béthune, 1977. *Voyage de Pehr Kalm au Canada en 1749.* Traduction annotée du journal de route. Pierre Tisseyre, Montréal)

HISTORIC FACT RECORDED

[6] *Allan Greer states that: "the white population of Nouvelle-France has suffered few severe crises that lead to many deaths. As their population is quite small in relation to the resources found in North America, French Canadians are protected from these catastrophes that decimate their European counterparts."*

(Excerpt from *Travels Into North America, Pehr Kalm in 1749* written by Rousseau, J. and G. Béthune, 1977. Annotated report of his travels. Pierre Tisseyre, Montréal)

In the early days of their arrival in the new land following the discovery of Canada, French peasants ate a daily ration consisting mainly of cereal or grain soups, gruel, and vegetables; meat being a rare commodity at that time. This might explain why colonists were so amazed to discover an abundance of game meats in this new land. They often compared the taste of elk, bear and beaver to that of beef, pork and mutton respectively. There are even accounts of more exotic pairings such as porcupine and suckling pig, ground hog and rabbit or squirrel; but of course, venison far outclassed all other meats! History books report on the wealth of wild game birds such as geese, mallards, partridge and teal. There are also numerous historical accounts of the profusion of aquatic life in lakes, rivers as well as in the St. Lawrence that included trout, salmon, tilefish, shad, pike, walleye, lake herring, eel and sturgeon. These species could not be dismissed out of hand, for it is a well-known fact that the clergy imposed a strict [6]fasting calendar that extended for close to six months of the year![7] People waited until 1844 to be told that the Church had agreed to reduce the fasting calendar by half[8].

The colonist of Nouvelle-France also served a stew, usually a fricassee made with wild game, bread and lard - a great deal of lard. Essentially, however, the settlers' family diet at that time was bread; people ate as much as one to two pounds a day. This explains why cereal crops were of great concern. Wheat, buckwheat, rye, barley and oats were the principal choices. Cows produced milk, cheese and other dairy products while hens laid eggs. The colonist who lived away from the city necessarily had to be self-sufficient. Other than salt needed to preserve food, which was available at the local market, he was obliged to derive all other food resources from his land, or from his surroundings, always subject to the occasional vagaries of nature .

HISTORICAL FOOTNOTE

[7] THE YEAR IS 1660; COLONISTS ARE HUNGRY; WINTER THREATENS TO BE GRUELLING, AND CONSIGNMENTS FROM FRANCE ARE IRREGULAR AT BEST. WORSE STILL, LENT WILL SOON BEGIN. ARCHBISHOP MONSEIGNEUR DE LAVAL KNOWS FULL WELL THAT MANY SETTLERS WILL NOT SURVIVE ON A DIET THAT FORBIDS EATING MEAT FOR 40 DAYS UNDER PENALTY OF COMMITTING A MORTAL SIN. THIS DIET IS DOUBLY STRENUOUS ON THE HURONS, NEWLY CONVERTED TO CATHOLICISM, WHO REGULARLY HUNT BEAVER AND OTHER WILD GAME TO SURVIVE. THE PRELATE TURNS TO THE THEOLOGIANS OF THE SORBONNE, IN FRANCE, REQUESTING THAT THEY DETERMINE THE QUESTION: IS THE BEAVER MEAT OR FISH? AS THE ANIMAL SPENDS THE GREATER PORTION OF ITS LIFE UNDERWATER, THEY FIND THAT IT IS INEVITABLY OF THE FISH FAMILY. THUS THE POPULATION OF NOUVELLE-FRANCE WAS ABLE TO SUSTAIN ITSELF WELL THROUGHOUT THE WINTER WITH A CLEAR CONSCIENCE.

[8] IN 1670, A PARISH PRIEST HEARD OF A MAN WHO HAD EATEN MEAT ON A "LEAN" DAY. THE MAN'S ACTION WAS REPORTED TO THE BISHOP; THE LATTER INFORMED HIS SECULAR REPRESENTATIVE THAT THE MAN WAS TO BE PUNISHED. AND SO THE STATE, THE CHURCH AND THE SECULAR REPRESENTATIVE BOTH DEEMED THAT THE MAN SHOULD BE MADE TO PAY A PENALTY OF 25 POUNDS, WHICH IS ESTIMATED TO REPRESENT ONE-THIRD OF THE MAN'S ANNUAL INCOME.

Maïs, Atlas des plantes de France
Corn, French plant Atlas

Dans les espèces potagères, ce sont les pois[9], les choux, les navets, les oignons, les betteraves et les poireaux qui prédominent. Ces légumes-racines ont l'avantage de bien se conserver. Les colons s'intéressent aussi à la culture des arbres fruitiers, mais seuls les pommiers connaissent un réel succès. Les poiriers, les pruniers, les pêchers et la vigne ont quant à eux beaucoup plus de difficultés.

Malgré l'abondance de certains produits, ne pensons pas que la vie soit pour autant facile. Il y a des années difficiles à traverser et, à l'occasion, des pénuries causées par de mauvaises récoltes. Les historiens notent qu'à certaines périodes on a même dû importer du blé de la métropole. Le vin et l'eau-de-vie, font partie de la liste d'épicerie d'importation régulière. Quoi qu'il en soit, tous s'entendent pour dire que le colon de Nouvelle-France mange mieux que le paysan français typique.

Il est amusant de constater qu'à l'époque de Champlain on puisse parler « de nouvelle cuisine du XVIIe siècle ». Au cours de la deuxième moitié de ce siècle, on se tourne progressivement vers les herbes et les racines, le thym, le laurier, le persil, la marjolaine sauvage, en délaissant les épices traditionnelles largement utilisées à l'époque médiévale. Les seules à être conservées semblent être le poivre, la cannelle, le girofle et la muscade, mais ces produits plus dispendieux sont une denrée réservée aux plus nantis et aux bourgeois citadins. Sur les tables des nantis de la Nouvelle-France, on retrouve autant sinon plus de produits que chez les nobles français ; viandes en quantité et en variété, quelques produits importés, comme le chocolat, le café et du bon vin. Une table qui semble plus que satisfaisante même sous un regard contemporain.

L'arrivée des bateaux provenant de France, 1660

L'assaisonnement lourd des plats de viandes avec des épices tels que la muscade, la cannelle et le girofle s'est perdu en Europe vers le XVIIIe siècle. C'est qu'on commence à apprécier davantage la saveur plus subtile des herbes et des aromates en cuisine. Mais cette tradition s'est maintenue dans la cuisine du Québec. C'est également à cette époque que des plats typiquement québécois, comme la tourtière, voient le jour. Elle ne ressemble pas encore à celle que l'on connaît aujourd'hui ; elle a l'air plutôt d'un pâté composé de morceaux de tourte baignant dans une sauce blanche. Quant à l'origine de la véritable recette de tourtière, plusieurs régions du Québec se disputent encore aujourd'hui cette prétention ![10]

Commentaires

[9] C'est avec des pois secs que l'on concoctait la traditionnelle soupe aux pois des Canadiens français. Nutritifs et se transportant facilement, ils forment un aliment de prédilection pour ceux qu'on appelle les Voyageurs et les Coureurs des bois partis pour de longues randonnées à faire la traite des fourrures.

[10] On se dispute encore aujourd'hui sur l'origine du terme « tourtière ». La première théorie voudrait que son ingrédient de base, soit la tourte (un oiseau voyageur qui a aujourd'hui disparu) et l'autre du plat utilisé pour la cuisson, soit la tourtière. Andrew Smith, de New School University à New York, lors d'un colloque au musée McCord en 2005 sur le repas quotidien à travers l'histoire, décrit la tourtière, élevé au rang de plat national québécois, comme un catalyseur de patrimoine illustrant l'histoire même de l'Amérique avec ses conquêtes, ses cultures et ses traditions pour mener à la transformation d'aliments en plat mythique. Notre tourtière est ainsi notre équivalent de la dinde aux Etats-Unis.

The Arrival of Ships from France, 1660

Peas[9], cabbage, rutabagas or turnips, onions, beets, and leeks were the customary root vegetables typically found in the colonist's garden. They had the unique advantage of storing well. People also cultivated fruit trees. The only fruit-bearing tree that delivered its fruit in large quantities and thus enjoyed some success was the apple. Pear, prune, and peach trees did not fare so well, nor did the grape vine.

Despite a wealth of various goods, life was arduous at best. Some seasons proved to be more difficult to endure than others, especially when poor crops caused severe shortages. Historians recount stories of people needing to import their wheat. Wine and spirits were regularly on the list of imports. Despite the hardships, all in all, colonists of Nouvelle-France fared better than their French farmer counterparts.

The notion of a "new cuisine in the XVIIth century" during the life and times of Samuel de Champlain is peculiar indeed. In the course of the second half of the XVIIth century, herbs and roots, thyme, bay, parsley, and wild marjoram gradually became more appealing than the traditional herbs and spices commonly used during medieval times. Pepper, cinnamon, cloves and nutmeg, however, continued to be popular, but because of their high price, the affluent bourgeois and urban dwellers were the most likely to enjoy them. The "haves" of Nouvelle-France had as much if not more food on their tables than French nobility. Meat was plentiful and varied; some imported products such as chocolate, coffee and refined wine were also accessible. Even to the contemporary eye, such a table is certainly quite satisfying.

Strong seasonings such as nutmeg, cinnamon and cloves in meat dishes slowly disappeared in Europe some time around the XVIIIth century in favour of the more subtle flavour of herbs and spices. However it was not the case in the culinary tradition of Quebec. During this period, typical *Québécois* dishes, such as tourtière emerge. It did not, as yet, resemble the tourtière we have come to recognize; rather, it was more a pastry shell filled with a mixture of some sort in a white cream sauce. As to the authentic recipe, a number of areas in Quebec will argue to this day that they hold the tried and true technique![10]

Comments

[9] Dried peas served as the base for the traditional pea soup attributed to the French Canadians. Peas were nutritious and easy to transport and preserve. They were appreciated by the Voyageurs and Coureurs des bois who travelled far to hunt, trap and trade their furs.

[10] To this day, the origin of the word 'tourtière' remains a sticking point. The first contention would refer to its basic ingredient, the pigeon (a carrier species that is extinct today); the second view would apply to the dish used to cook, which would be the tourtière. On the occasion of a seminar held at the McCord Museum in 2005 on the topic of daily meals throughout history, Andrew Smith of the New School University in New York describes the distinguished tourtière (elevated to the rank of a Quebec national dish) as an instrument of our legacy; it belongs to the history of America with its conquests, its cultural evolution and its traditions symbolize the transformation of food into mythical entities. Thus, the tourtière is for Quebec what the turkey is for America.)

SOUPE À LA COURGE ET SOUPÇON DE MIEL

POUR 4 PERSONNES :

450 g (1 lb) de courge, pelée et coupée en petits cubes
60 g (2 oz) de beurre
1 oignon moyen, haché
750 ml (3 tasses) de bouillon de poulet ou d'eau
1 gousse d'ail, hachée
250 ml (1 tasse) de crème 35 %
1 pincée de muscade, râpée
15 ml (1 c. à soupe) de miel
Sel et poivre

Dans une casserole, chauffer le beurre et faire revenir l'oignon.

Ajouter la courge et cuire 4 à 5 minutes. Ajouter le bouillon et l'ail. Saler et poivrer.

Cuire pendant environ 30 à 40 minutes jusqu'à ce que la courge soit tendre. Retirer du feu.

À l'aide d'un pied-mélangeur ou d'un robot, réduire la soupe en purée. Remettre la casserole sur le feu et ajouter la crème, la pincée de muscade et le miel. Porter à ébullition.

Servir chaud. Vous pouvez garnir de quelques tranches de pain rassis.

MIJOTÉ D'ESTURGEON AU VIN BLANC

POUR 4 PERSONNES :

900 g (2 lb) d'esturgeon, coupé en cubes
60 ml (4 c. à soupe) d'huile d'olive
60 g (2 oz) de beurre
2 oignons moyens, hachés
4 échalotes, hachées
30 g (1 oz) de farine
500 ml (2 tasses) de vin blanc
500 ml (2 tasses) de fond de veau
1 bouquet garni
180 g (6 oz) de champignons
5 g (1 c. à café) de persil, haché
Sel et poivre

Dans une casserole, chauffer l'huile et le beurre et faire revenir les morceaux d'esturgeon. Après quelques minutes, ajouter l'oignon et l'échalote.

Quand le tout a pris une belle couleur dorée, parsemer de farine et mélanger. Ajouter le vin blanc, le fond de veau et le bouquet garni. Saler et poivrer. Laisser mijoter pendant 30 minutes.

À l'aide d'une écumoire, retirer les morceaux d'esturgeon et les réserver. Réduire la sauce du tiers. Ajouter les champignons, remettre les morceaux d'esturgeon dans la sauce et laisser mijoter de nouveau 5 minutes. Saler et poivrer. Présenter dans un plat de service. Saupoudrer de persil haché.

SQUASH SOUP WITH A DROP OF HONEY

4 SERVINGS:

450 g (1 lb) squash, peeled and cut into small cubes
60 g (2 oz) butter
1 medium onion, chopped
750 ml (3 cups) chicken stock or water
1 garlic clove, chopped
250 ml (1 cup) whipping cream
Pinch of grated nutmeg
15 ml (1 tablespoon) honey
Salt and pepper

In a large stockpot, heat butter and sauté the onion. Add squash and cook 4 to 5 minutes.

Add stock and garlic. Season with salt and pepper.

Simmer 30 to 40 minutes until squash is tender. Remove and place in a blender or food processor. Purée and whisk back into stockpot. Add cream, nutmeg and honey. Bring to a boil.

Serve hot. You may add a few croutons.

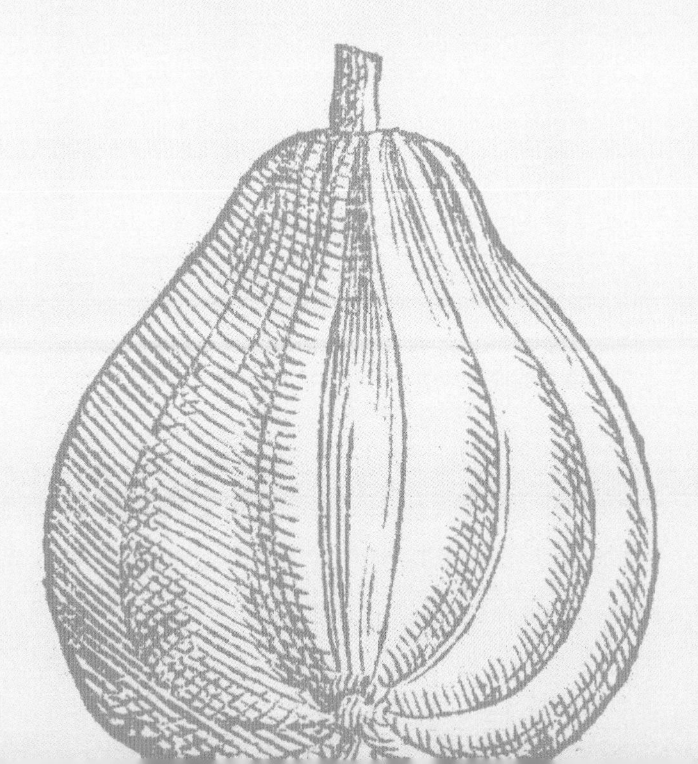

STURGEON SLOW COOKED IN WHITE WINE

4 SERVINGS:

900 g (2 lb) sturgeon, cut into chunks
60 ml (4 tablespoons) olive oil
60 g (2 oz) butter
2 medium onions, chopped
4 shallots, minced
30 g (1 oz) flour
500 ml (2 cups) white wine
500 ml (2 cups) veal stock
1 herb bouquet
180 g (6 oz) mushrooms
5 g (1 tablespoon) chopped parsley
Salt and pepper

In a skillet, heat oil and butter. Cook sturgeon. After a few minutes, add onions and shallots.

When all ingredients are slightly brown, add flour and mix. Add white wine, veal stock and herb bouquet. Season with salt and pepper. Simmer for 30 minutes.

Remove the sturgeon and set aside. Reduce liquid to two-thirds. Add mushrooms and sturgeon into the sauce and simmer for 5 minutes. Season with salt and pepper. Sprinkle with chopped parsley.

LIÈVRE FARCI À LA CASSEROLE

POUR 4 PERSONNES :

1 lièvre entier avec son foie
60 g (2 oz) de beurre
60 ml (4 c. à soupe) d'huile d'olive

POUR LA FARCE :

240 g (8 oz) de bacon fumé, coupé en morceaux
6 échalotes, hachées
2 œufs
90 g (3 oz) de foie de volaille
4 gousses d'ail, hachées
90 g (3 oz) de mie de pain
Quelques brindilles de thym
Sel et poivre

POUR LA MARINADE :

1 bouteille de vin rouge (3 tasses)
125 ml (1/2 tasse) de vinaigre de vin rouge
1 oignon, coupé en morceaux
1 carotte, coupée en morceaux
2 gousses d'ail

Faire la marinade en mélangeant tous les ingrédients.

Placer le lièvre dans cette marinade et laisser reposer pendant 24 heures au réfrigérateur.

Faire la farce en mélangeant le bacon, l'échalote, les œufs, les foies de volaille et de lièvre coupés en petits morceaux, l'ail, la mie de pain et le thym. Saler et poivrer.

Retirer le lièvre de la marinade et farcir ce dernier avec la farce. Conserver la marinade. Ficeler afin que la farce ne s'échappe pas.

Déposer le lièvre dans une casserole à rôtir. Badigeonner d'huile et de beurre. Saler, poivrer et enfourner dans un four préchauffé à 160 °C (300 °F) pendant environ 1 h 30. Arroser de temps à autre avec le gras de cuisson.

Sortir du four et réserver le lièvre. Dégraisser la casserole et déglacer avec la marinade. Réduire du 2/3. Vérifier l'assaisonnement et filtrer dans une passoire.

Servir le lièvre dans un grand plat de présentation avec la sauce à part. Servir avec des légumes racines.

JAMBON DE PORCELET À LA CRÈME

POUR 8 PERSONNES :

I jambon de porcelet d'environ 2 kg 250 g (5 lb)
60 g (2 oz) de beurre
60 ml (4 c. à soupe) d'huile d'olive
2 carottes, coupées en dés
2 oignons, coupés en dés
125 ml (1/2 tasse) de cognac
500 ml (2 tasses) de vin blanc
250 ml (1 tasse) de crème 35 %
45 ml (3 c. à soupe) de moutarde forte
60 g (2 oz) de cornichons, coupés en julienne
Sel et poivre

Dans une casserole à rôtir, faire dorer le jambon de porcelet avec l'huile d'olive et le beurre. Saler et poivrer et enfourner pendant environ 1 h 30 à 160 °C (300 °F). En milieu de cuisson, ajouter carottes et oignons dans le fond de la casserole.

Sortir du four. Réserver. Dégraisser le fond de la plaque et flamber au cognac. Ajouter le vin blanc et faire réduire de moitié. Ajouter la crème 35 % et la moutarde. Réduire de nouveau. Filtrer dans une passoire.

Ajouter la julienne de cornichons et vérifier l'assaisonnement.

Trancher le jambon. Napper de sauce et servir avec des flageolets (ou haricots blancs).

TARTE AUX POMMES À LA CANNELLE

450 g (1 lb) de pâte feuilletée, étendue en deux abaisses rondes
8 pommes, pelées, épinées et coupées en quartier
90 g (3 oz) de beurre, coupé en petits cubes
90 g (3 oz) de sucre
5 g (1 c. à café) de cannelle en poudre
250 ml (1 tasse) de gelée de pomme
250 ml (1 tasse) de crème 35 %

Beurrer le fond d'un moule à tarte.

Étendre la première abaisse de pâte feuilletée. Piquer le fond de tarte à l'aide d'une fourchette.

Étendre les tranches de pommes de façon circulaire dans la tarte. Saupoudrer avec le sucre puis avec la cannelle en poudre. Disperser les cubes de beurre sur les pommes. Cuire dans un four à 180 °C (350 °F) pendant environ 30 à 40 minutes.

Sortir du four et étendre la gelée de pomme sur la tarte.

Servir tiède avec de la crème 35 % à part dans une saucière.

STUFFED HARE

4 SERVINGS:

1 hare with its liver
60 g (2 oz) butter
60 ml (4 tablespoons) olive oil

STUFFING:

240 g (8 oz) smoked bacon, cut into pieces
6 shallots, minced
2 eggs
90 g (3 oz) chicken livers
4 garlic cloves, minced
90 g (3 oz) bread crumbs
A few sprigs of thyme
Salt and pepper

MARINADE:
1 bottle of red wine (3 cups)
125 ml (1/2 cup) red wine vinegar
1 onion, chopped
1 carrot, diced
2 garlic clove

In a large bowl, mix all ingredients for the marinade. Add the hare and toss to coat. Cover and refrigerate for at least 24 hours.

In a large bowl, combine bacon, shallots, eggs, chicken livers and hare liver cut into small pieces, garlic, white bread and thyme. Season with salt and pepper.

Remove hare from marinade and stuff with bacon mixture. Keep marinade. Tie legs to prevent stuffing from falling out.

Place stuffed hare in roasting pan. Rub outside surface with oil and butter. Season with salt and pepper. Roast in a preheated oven for 1 hour 30 minutes at 160 °C (300 °F), basting every 15 minutes.

When hare is done, remove from pan and set aside. Discard fat from roasting pan and deglaze with marinade. Reduce by two-thirds. Correct seasoning and drain.

Serve stuffed hare in a large serving plate with sauce in a gravy boat. Serve with root vegetables.

PIGLET HAM WITH CREAM

8 SERVINGS:

I piglet ham 2 kg 250 g (5 lb)
60 g (2 oz) butter
60 ml (4 tablespoons) olive oil
2 carrots, diced
2 onions, diced
125 ml (1/2 cup) cognac
500 ml (2 cups) white wine
250 ml (1 cup) whipping cream
45 ml (3 tablespoons) Dijon mustard
60 g (2 oz) gherkins, cut into julienne
Salt and pepper

In a roasting pan, heat olive oil and butter and brown the ham. Season with salt and pepper and cook in a preheated oven at 160 °C (300 °F) for 1 hour 30 minutes. Half way through cooking time, add carrots and onions in roasting pan.

Remove from the oven and set aside. Remove oil in roasting pan and flambé with cognac. Add white wine and reduce to half. Add cream and mustard. Reduce again. Strain.

Add gherkins. Taste and adjust seasoning.

Slice the ham. Pour sauce over ham and serve with flageolets (or white kidney beans).

APPLE PIE WITH CINNAMON

450 g (1 lb) flaky pastry, rolled out for 2 crusts
8 apples, peeled, cored and quartered
90 g (3 oz) butter, cut into small cubes
90 g (3 oz) sugar
5 g (1 tablespoon) ground cinnamon
250 ml (1 cup) apple jelly
250 ml (1 cup) whipped cream

Brush a pie plate with butter and line with crust. Using a fork, prick holes in crust.

Arrange apples in a circular pattern. Sprinkle with sugar and cinnamon. Dot with butter. Bake in a preheated oven for 30 to 40 minutes at 180 °C (350 °F).

Remove from oven and brush with apple jelly.

Serve warm with whipped cream in a small serving dish.

Marché de la Haute-Ville, en hiver à -17 °F.

LE XVIIIe SIÈCLE : Émancipation de la table et de la cuisine[11]

Dans toutes les villes d'Europe, la vie des habitants s'articule autour d'un lieu précis qui est tantôt la place du village ou tantôt la place du marché. Arrivés en Nouvelle-France, les colons recréent la planification urbaine qu'ils connaissent bien, soit celle typique à la France du Moyen-Âge. Il fallait un espace vaste pour pouvoir aménager charrettes, chevaux et carrioles. Selon certains témoins de l'époque, le marché de Québec fût inauguré en 1676[12]. Bien qu'il soit moins pourvu que celui de Montréal, il offre néanmoins un bon choix en produits du potager et du verger. Il assure l`approvisionnement de la ville, et se tient deux fois par semaine au début du siècle et trois fois à la fin. Les gens viennent au marché afin de s'approvisionner en produits divers, mais également pour faire le commerce de leurs produits du terroir. Lieu de rassemblement selon la tradition européenne, c'est sur la place du marché que toute l'activité citadine prend place; accomplissement de la justice, lectures des ordonnances par le huissier, musiciens et saltimbanques qui se mêlent à la foule des locaux, des voyageurs, des riches et des moins riches, qui, tous ensemble, font le pouls de la cité. Les habitants y écoulent les produits de leur élevage et de leur culture potagère, de leur chasse, de leur pêche et de leur cueillette. L'accès aux produits n'est pas égal. Les artisans et les journaliers doivent parfois se contenter de légumes, de laitages, de pain et à l'occasion d'anguille salée et de bœuf. Il est étonnant de trouver le bœuf dans les produits bon marché. On dit même qu'il pouvait coûter jusqu'à quatre fois moins cher que le porc.

Le petit-déjeuner ou déjeuner est frugal : pain, café au lait ou chocolat pour les femmes. Et pour les plus audacieux ou costauds, une rasade d'eau de vie. L'historienne Catherine Ferland lors d'une récente conférence au Centre inter-universitaire d'études québécoises à l'Université Laval mentionne que l'on se méfiait du chocolat jugé susceptible de causer la concupiscence. La femme devait garder son flegme, alors tout stimulant devait être consommé en modération. Le dîner, qui est prit généralement vers midi, peut être constitué d'un bouilli, dont le bouillon servira à préparer ensuite la soupe du soir, auquel on ajoute beaucoup de pain dont on tapisse le fond du bol. Les autres plats peuvent être une fricassée, un plat étuvé ou parfois une viande rôtie. Mais de façon générale, les Canadiens consomment beaucoup de viande. Lors des jours maigres – vendredi et samedi – le plat principal se compose de poissons, d'œufs, de riz, et de nombreuses variétés de légumes.

COMMENTAIRES
11-12 Voir en page 28

Upper town Market, Quebec, 17 degrees F. below.

THE XVIIIth CENTURY

The Evolution of Food Preparation and Cuisine[11]

Throughout Europe, the village square and the market place are focal points to which people are drawn each day. Upon their arrival in Nouvelle-France, colonists recreated this familiar setting, typical of France in Medieval times. It was essential, however, to design a space wide enough for carts, horses and sleds to circulate easily. Historic documents state that the market of Quebec City was inaugurated in 1676 [12] . While stocked on a lesser scale than the Montreal market, it did offer a fair selection from the garden and the orchard. At the beginning of the century, city folk came to the marketplace twice a week to stock up on food products; at the end of the century, the market opened its doors thrice weekly. People came to market to purchase various goods, but they also came to trade their own farm produce. As European tradition would have it, the market square was the meeting point for all types of urban activities: justice was administered here as were readings of special ordinances by the bailiff; roving musicians and entertainers mingled with the crowd of citizens, travellers, the rich and not so rich, all of whom formed the hub of the city. People came to sell their livestock, offer their catch-of-the-day, fresh game and the fruit of their gardens and orchards. Yet, all of the earth's bounty was not fairly apportioned: craftsmen and day labourers occasionally had to make do with a few vegetables, some dairy products and but a modest portion of salted eel and beef. It was quite unusual to have beef available at such a reasonable price. Some said it might even cost four times less than pork.

Breakfast was meagre, and was composed of bread, café au lait or chocolate milk for women. Heartier and bolder men usually had a shooter of aqua vitae. Historian Catherine Ferland stated that there was a suspicious myth surrounding chocolate at the time. It was said to create erotic fantasies. She disclosed these findings at a recent conference at the Centre interuniversitaire d'études québécoises at Laval University. She went on to say that women needed to remain phlegmatic; for that reason all good things in moderation, including chocolate. People usually ate their midday meal around noon; it usually consisted of a stew. The broth was kept for suppertime soup which was poured into a dish containing a thick bread base. There might also be fricassee, a steamed dish or even a piece of roasted meat. On lean days – mainly Fridays and

Comments

[11-12] Refer to page 29

Au dessert on retrouvera des fruits frais, selon les saisons, parfois des noix et du fromage. Mais les friandises et desserts ne font pas partie du quotidien chez l'habitant ; il s'agit de gâteries réservées aux jours de fêtes seulement.

Le souper a lieu vers dix-neuf heures et se compose souvent des restes du dîner. Si les hommes consomment du vin rouge (le plus souvent du Bordeaux) étonnamment coupé d'eau, les femmes s'en tiennent le plus souvent à l'eau. On retrouve aussi de la bière d'épinette. Le café noir, complète le repas des plus nantis. Contrairement au chocolat, le café a fait son arrivée très tôt sur la table des colons français de la Nouvelle-France. On retrouve dans des textes des mentions de gobelets, de cafetières et de tasses dès le début du XVIIIe siècle. Il s'agit d'un produit très prisé, mais cher et donc souvent réservé à l'élite.

On peut dire que les temps n'ont pas tellement changé quand le fait de manger différemment signifie se procurer certaines denrées rares et coûteuses, bien sûr réservées à l'élite. L'élite de la Nouvelle-France était composée des officiers civils, des militaires, des gens de lettres et des membres du clergé. Ces gens aux habitudes plus sophistiquées ne comptent que pour 3 % de la population. Les marchands ont de l'argent, mais ils travaillent durement ; ils ne font donc pas partie de cette élite. Occasionnellement on tolère leur présence aux dîners lors de réunions festives. Les marchands constituent donc une classe à part. Ils socialisent entre eux, aiment bien manger et leur table est bien garnie, quoique plus frugale, et moins élaborée que celle de l'élite coloniale.

Les produits rares et raffinés sont importés de France ou des colonies. On y trouve des truffes et d'autres variétés de champignons prisés, des huîtres et des artichauts marinés, ou des produits exotiques comme les liqueurs des Antilles, le piment et le coco. On apprécie également les produits provenant de régions plus proches, mais néanmoins éloignées, compte tenu des moyens de locomotion de l'époque : des régions au climat moins rigoureux comme les États du sud de l'Amérique, on fait venir des noix, des agrumes de toutes sortes, des fruits comme les poires et les pêches ; les huîtres fraîches de l'embouchure du Saint-Laurent, d'Acadie notamment, sont grandement appréciées ; du fait de l'éloignement ou simplement de la rareté, certaines denrées comme le riz sauvage sont également recherchées. Pendant l'hiver, l'huile animale, celle qui provient de l'ours notamment, convient parfaitement à certains assaisonnements et aux salades, et bien-sûr, pendant la saison froide, consommer « ces petits oiseaux blancs, gras et délicats » que les fins gourmets appellent ortolans, représente le nec plus ultra. Toujours dans la même veine, « on fait grand cas de la patte d'ours, du mufle d'orignal, de la queue de castor et de la langue de bison »[13]. Dans son Voyage au Canada 1749, le savant suédois Pehr Kalm, affirme que « les repas des Français du Canada, si je puis me permettre de le dire, sont habituellement surabondants ; on sert d'assez nombreux plats : potages aussi bien que viandes variées. »

Commentaires

[12] Il existait alors deux marchés à Québec. Un dans la Basse-Ville à la Place Royale ou Place de Marché, un espace assez petit, avec l'église Notre-Dame-des-Victoires et une série de jolies maisons autour de la place. Dans la Haute-Ville, la Place d'Armes s'élève, ceinturée de belles maisons, tout près du château Saint-Louis.

[13] Lafrance, Marc et Desloges, Yvon. **Goûter à l'histoire**. Les éditions de la Chenelière (1989). Extraits tirés des page 24 et 25.

Un souper chez un seigneur canadien

FAIT HISTORIQUE

[11] Au début du XVIIIe siècle, on produit assez de blé au Québec pour en faire l'exportation.

Dinner at a Canadian Seigneur

Saturdays – the cook served fish, eggs, rice and a mixture of vegetables as the main course. For desert, people enjoyed seasonal fresh fruit, nuts and cheese. Pastries and deserts were usually reserved for feast days and special events.

As a rule, supper was on the table around seven o'clock in the evening. It was customary to serve leftovers from the midday meal. While men might enjoy red wine with their evening meal (most often a Bordeaux), women seemed to prefer water. Spruce beer may also have been available in some circles. Black coffee topped off the meal in wealthier families. Contrary to the introduction of chocolate, coffee made its way into the colonists' daily lives much sooner. Historic writings in the early days of the XVIIIth century cited goblets, coffee machines and cups. Coffee, it appears, was a highly sought-after item, though quite costly and therefore restricted to the privileged class.

It is evident that the passage of time has hardly altered society's attitudes, when we read how the elite appeared to be the only ones to enjoy rare and costly food and dine in a more sophisticated way from others. This elite included officers, military persons, scholars and members of the clergy, who represented a mere 3 per cent of the population. Conversely, merchants were wealthy, certainly, but they toiled arduously and thus could not aspire to belong to this upper class. Their presence was tolerated infrequently on the occasion of festive gatherings.

These festivities were truly special occasions which featured truffles, fresh mushrooms, oysters, and marinated artichokes from France; as well as exotic liqueurs, peppers and coconuts from the West Indies. Many colonists were quite partial to pecans from Illinois, peaches from the Niagara Peninsula and Detroit, fresh oysters from Acadia's Green Bay and wild rice, also known as "wild oats". Although imported from regions closer to Nouvelle-France, several delicacies seemed as though they came from much more distant locations due to the means of transportation of the times.

During winter months, bear oil was an acceptable condiment, in particular for salads. Also during that period, the "tasty, rich flesh" of a small white bird known to gourmets as the Ortolan, (Snow Bunting) was nothing less than sublime! Culinary enthusiasts also became quite fond of bear paws, choice morsels of moose muzzle, beaver tail and bison tongue. Swedish-born Pehr Kalm, in his 1749 historic account Travels Into North America, stated that "the meals of the French in Canada, if I may boldly state, are usually exceedingly abundant; they bring many dishes to the table such as soups as well as assorted meats."

HISTORIC FACT RECORDED

[11] *"In the early days of the XVIIIth century, wheat production is suitably abundant that it can be exported."*

Comments

[12] There were two markets in Quebec City at that time: one was situated in the Basse-Ville at Place Royale or Place du Marché, a fairly reduced space, bordering the church of Notre-Dame-des-Victoires and surrounded by attractive dwellings built around the square. In the Haute-Ville, Place d'Armes stood in the centre of a circle of lovely houses, close to the Château Saint-Louis.

[13] Lafrance, Marc and Desloges, Yvon. **Goûter à l'histoire.** Les éditions de la Chenelière (1989). Excerpts from pages 24 and 25.

Toujours dans ce même ouvrage, Kalm constate, lors d'une visite des établissements du Saint-Laurent, que les potagers ne contiennent « aucune espèce de pomme de terre ». « Quand j'ai demandé aux gens pourquoi ils n'en avaient pas, ajoute-t-il, on m'a répondu qu'on appréciait aucune des deux espèces (pomme de terre et patate douce); les Français se moquent des Anglais qui les trouvent à leur goût. » Le règne de la patate, que l'on retrouve quotidiennement dans notre assiette aujourd'hui, n'avait pas encore vu le jour...

En 1785, Antoine Parmentier, qui n'était pas cuisinier mais pharmacien, fait découvrir à Louis XVI cette fameuse tubercule qu'est la pomme de terre en lui apportant des tiges fleuries que le roi choisit de porter à la boutonnière et la reine Marie-Antoinette, dans la coiffure. Ce tubercule n'est pas apprécié par les cousins européens qui le considèrent comme une nourriture «bonne pour les cochons ». En Nouvelle-France, il faut attendre l'initiative du gouverneur Murray pour que la population se mette à consommer la pomme de terre. Elle se trouve très tôt sur toutes les tables. Mentionnons pour l'histoire que l'on doit à Parmentier un autre plat de la tradition française «le hachis Parmentier», qui est peut-être à l'origine de notre « pâté chinois », qui n'aurait de chinois que le nom.[14]

Il faut cependant attendre le début du XIXe siècle pour que la pomme de terre soit intégrée à l'alimentation régulière. La tomate, quant à elle, ne fera son apparition que beaucoup plus tard.

Chez les riches surtout, on cuisinait avec des batteries de cuisine de plus en plus élaborées. On délaisse progressivement la vaisselle d'étain à « l'habitant » au profit de la porcelaine et de l'argenterie.

Dans les bibliothèques des gens aisés, les premiers livres de cuisine apparaissent : on commence à y trouver « le Cuisinier royal et bourgeois » de Massialot (1732) (dont un exemplaire original a été retrouvé lors du classement du monastère des Augustines de L'Hôtel-Dieu de Québec en 2004), « la Cuisinière bourgeoise » de Menon (1772), « les Dons de Comus » de Marin, « Le Cuisinier français » de La Varenne (1670), « L'École des ragoûts » (1700) ou bien « La Maison rustique » de Liger (1768). Peu de gens savent toutefois lire et écrire, alors les recettes se transmettent davantage de bouche à oreille et suivent les générations. Les quantités sont toujours très approximatives et faute d'instruments de mesure, on utilise des points de repère que tout le monde connaît. Une poignée de... une quantité de la grosseur d'un œuf,... une pincée... beaucoup de... peu de... Comme les résultats sont très aléatoires, on apprécie davantage les vieilles recettes de familles dont on garde précieusement le secret.

Portrait à l'huile de Pehr Kalm, 1764
Oil portrait of Pehr Kalm, 1764

ANECDOTES

[14] SELON UNE THÉORIE MENTIONNÉE PAR LOUIS MORISSET, LORS D'UNE CONVENTION TENUE À REGINA (SASKATCHEWAN) EN AVRIL 2007, LE « PATÉ CHINOIS» SERAIT NÉ LORS DE LA CONSTRUCTION DU CHEMIN DE FER PANCANADIEN. UN NOMBRE CONSIDÉRABLE D'ASIATIQUES Y TRAVAILLAIENT ARDEMMENT ET ÉTAIENT NOURRIS AVEC LES DENRÉES FACILEMENT DISPONIBLES ET PEU COÛTEUSES À CETTE ÉPOQUE, SOIT LA POMME DE TERRE, LE MAÏS ET LE BŒUF. ON MÉLANGE LE TOUT POUR SERVIR PLUS VITE, ET VOILÀ... UN METS CULTUREL MYTHIQUE EST NÉ !

Further in this same commentary, Kalm observed that vegetable gardens "in dwellings along the St. Lawrence contain no variety of potatoes". The author added "When I asked people why their gardens held none, they replied that neither of the two species is well liked (the potato and the sweet potato); the French actually made fun of the English who seemed to enjoy them." Our well-celebrated and widely-used potato had yet to see the day!

The noted Antoine Parmentier who, in 1785, was a pharmacist, not a chef, introduced the famed tuber to Louis XVI. He presented the King with flowered potato stalks. Louis inserted them into his boutonniere, while Marie-Antoinette used them to adorn her hair. On a more earthly level, it would seem our European counterparts did not appreciate the lowly potato, deeming it food only "fit for pigs". The people of Nouvelle-France would need to await the assent of Governor Murray to begin enjoying this tuber on a regular basis. As a point of historic exactness, let us not fail to reveal another dish that we owe to the renowned Monsieur Parmentier: the shepherd's pie or "pâté chinois" as it is known in Quesbec circles. Neither reference, in either language, gives a true description of its content.[14]

ANECDOTES

[14] ACCORDING TO A THEORY RECOUNTED BY LOUIS MORISSET DURING A CONVENTION HELD IN REGINA, SASKATCHEWAN IN APRIL 2007, "PÂTÉ CHINOIS" IS SAID TO HAVE ORIGINATED DURING THE LAYING OF THE TRANS-CANADA RAILWAY TRACKS. A LARGE GROUP OF ORIENTALS WORKED HARD AT THIS JOB; THEY WERE GIVEN FOOD THAT WAS READILY AVAILABLE AND INEXPENSIVE AT THAT TIME SUCH AS BEEF, POTATOES, AND CORN. MIX WELL AND YOU HAVE A MEAL THAT BECAME A CULTURAL MYTH FOR ALL TIMES!

The noble potato was brought to the table on a regular basis at the dawn of the XIXth century. In contrast, the tomato came along much later in the century.

With the passage of time, the elite, in particular, began to use more refined tableware in their kitchens. They steadily did away with the "peasant's" tin crockery in favour of fine china and silverware.

Cookbooks made their way onto library shelves as early as 1732 with the published work of François Massialot entitled Le cuisinier royal et bourgeois (an original version was discovered in the monastery of the Augustine nuns of the Hôtel-Dieu hospital in Quebec City in 2004). Later works included Menon's 1772 publication, La cuisinière bourgeoise, Marin's Les dons de Comus and Le cuisinier français written by François Pierre de La Varenne as well as Louis Liger's L'école des ragoûts (1700) and La maison rustique (1768). Despite these 'innovations', and because there were few literate people in the colony, word of mouth was the best approach and recipes were handed down through generations in this manner. Moreover, quantities were inexact due to the absence of accurate measuring tools. People used familiar terms of reference such as a handful of this... an amount the size of an egg..., a pinch of that..., a lot of..., a small amount of.... The results were often unpredictable, and so the old tried and true family recipes were the best kept secret.

LA

CUISINIÈRE

BOURGEOISE,

PRÉCÉDÉE

D'UN MANUEL

PRESCRIVANT LES DEVOIRS QU'ONT A REMPLIR LES PERSONNES QUI SE DESTINENT A ENTRER EN SERVICE DANS LES MAISONS BOURGEOISES.

Cet Ouvrage contient, en outre:

1°. Les Recettes pour faire une bonne Cuisine à peu de frais; les Moyens les plus utiles pour vider et trousser la Volaille et le Gibier, ainsi que la Dissection de toute sorte de Viandes;

2°. La Pâtisserie et les Confitures de différentes espèces; les Liqueurs, Ratafias; la Composition des Vinaigres et des Boissons les plus économiques, etc., etc.;

3°. Les soins à apporter pour élever la Volaille, pour faire le Beurre, les Fromages, et conserver les Liqueurs et les Fruits;

4°. Enfin, l'Art de gouverner la Cave et les Vins; la Manière de servir les Tables, et d'en faire les honneurs.

TROISIÈME ÉDITION,

REVUE PAR UNE MAÎTRESSE DE MAISON.

Prix: 2 Francs.

A QUÉBEC,

CHEZ AUGUSTIN GERMAIN, LIBRAIRE.

M. DCCC. XXV.

La cuisinière bourgeoise, *un livre de cuisine pour les bien nantis, publié en 1825 et vendu à Québec.*

"La cuisinière bourgeoise", a french cookbook for the well-to-do, published in 1825 and sold in Quebec City.

TRUITE FARCIE

POUR 4 PERSONNES :

4 truites de 240 g (8 oz) environ
90 g (3 oz) de beurre
60 g (2 oz) d'échalotes, hachées
180 g (6 oz) de champignons, hachés
5 g (1 c. à café) de persil, haché
90 g (3 oz) de mie de pain
240 g (8 oz) de panais, épluché et râpé
125 ml (1/2 tasse) de vin blanc
125 ml (1/2 tasse) de crème 35 %
Sel et poivre

La recette originale veut que l'on retire l'arête centrale de la truite sans ouvrir le ventre de cette dernière. Technique qui peut être complexe, néanmoins cette recette peut aussi se faire en prélevant les deux filets de chaque truite. Il reste ensuite à mettre la farce au milieu des deux filets et de les ficeler afin d'éviter que la farce ne se disperse.

Faire la farce. Dans une casserole, chauffer la moitié du beurre à feu doux et ajouter les échalotes hachées. Lorsque les échalotes seront légèrement transparentes, ajouter les champignons et le persil haché. Laisser cuire quelques minutes afin que les champignons dessèchent. Ajouter la mie de pain, saler et poivrer. Farcir les truites de cette préparation.

Dans un plat allant au four, tapisser le fond avec le panais râpé, déposer les truites dessus. Mettre le reste du beurre sur les truites. Verser le vin blanc dans le fond du plat.

Enfourner à 180 °C (375 °F) pendant 20 minutes environ. Retirer les truites du plat, ajouter la crème dans le fond de cuisson et réduire jusqu'à l'obtention d'une consistance onctueuse. Napper la sauce sur les truites.

GIGOT D'AGNEAU DE 7 HEURES

POUR 8 PERSONNES :

1 gigot de 2 kg 250 g (5 lb) à 2 kg 700 g (6 lb)
12 gousses d'ail
60 g (2 oz) de beurre
60 ml (4 c. à soupe) d'huile d'olive
3 carottes, coupées en morceaux
3 oignons moyens, coupés en morceaux
3 panais moyens, coupés en morceaux
180 g (6 oz) de lard fumé, coupé en dés ou de bacon
500 ml (2 tasses) de vin blanc
500 ml (2 tasses) de fond de veau
1 bouquet garni
Sel et poivre

Piquer le gigot avec 3 gousses d'ail.

Dans une cocotte en fonte, chauffer le beurre et l'huile d'olive et faire revenir le gigot d'agneau.

Ajouter les carottes, les oignons, les gousses d'ail, les panais et le lard fumé. Faire revenir encore quelques minutes. Saler et poivrer.

Ajouter le vin blanc, le fond de veau et le bouquet garni. Refermer la cocotte et enfourner dans pendant 7 heures à 130 °C (275 °F).

Ce gigot ne se tranche pas, il se sert à la cuillère. Déposez-le dans un plat. Passer la sauce (peut-être aurez-vous besoin de rajouter un peu de fond de veau). Servir la sauce à part.

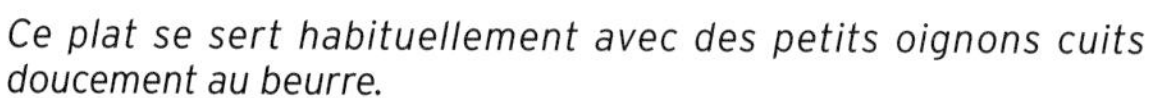

Ce plat se sert habituellement avec des petits oignons cuits doucement au beurre.

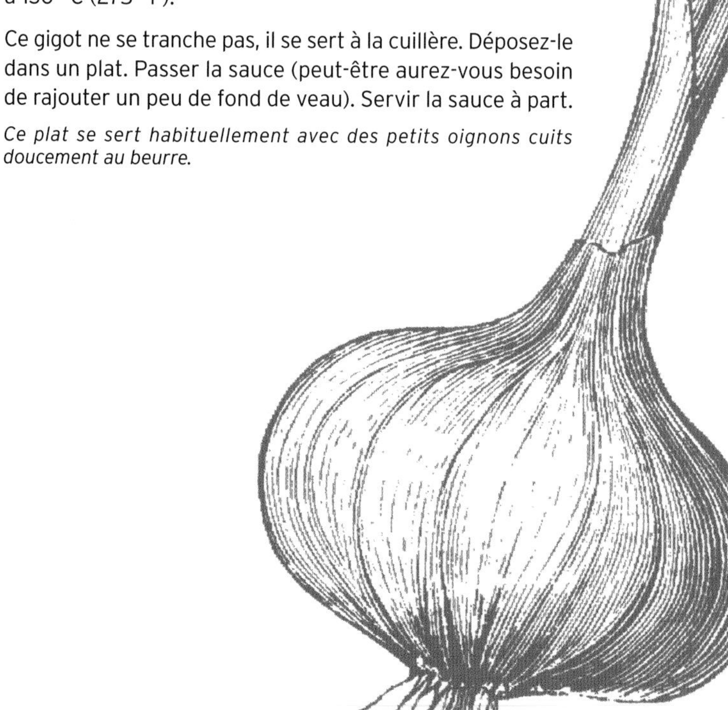

STUFFED TROUT

4 SERVINGS:

4 trout approx. 240 g (8 oz)
90 g (3 oz) butter
60 g (2 oz) shallots, minced
180 g (6 oz) mushrooms, minced
5 g (1 tablespoon) chopped parsley
90 g (3 oz) bread crumbs
240 g (8 oz) parsnip, peeled and grated
125 ml (1/2 cup) white wine
125 ml (1/2 cup) whipping cream
Salt and pepper

The original recipe recommends that the backbone be removed without opening the belly. This technique might be complicated; you may wish to simplify this recipe by using trout fillets. You would then spread the stuffing between two fillets and tie them together to prevent stuffing from falling out.

Stuffing: In a saucepan, heat half the butter at low temperature. Add shallots until they are transparent. Add mushrooms and parsley. Cook for a few minutes, enough for mushrooms to colour slightly. Add bread crumbs. Season with salt and pepper. Stuff trout with this preparation.

In a heatproof casserole, place grated turnip and trout. Dot with butter. Add white wine.

Cook for 20 minutes in a preheated oven at 180 °C (375 °F). Remove trout and set aside. Add cream in baking dish and cook until sauce is smooth. Pour sauce over trout.

LEG OF LAMB COOKED FOR SEVEN HOURS

8 SERVINGS:

1 leg of lamb 2 kg 250 g (5 lb) to 2 kg 700 g (6 lb)
12 garlic cloves
60 g (2 oz) butter
60 ml (4 tablespoons) olive oil
3 carrots, chopped
3 medium onions, chopped
3 medium parsnips, chopped
180 g (6 oz) smoked lard or bacon, diced
500 ml (2 cups) white wine
500 ml (2 cups) veal stock
1 herb bouquet
Salt and pepper

Insert 3 garlic cloves into meat.

In a heavy casserole, heat butter and olive oil and brown leg of lamb on all sides.

Add carrots, onions, garlic cloves, parsnip and bacon. Cook for a few minutes. Season with salt and pepper.

Add white wine, veal stock and herb bouquet. Cover and cook in a preheated oven for 7 hours at 130 °C (275 °F).

This meat must be served with fork and spoon. Transfer lamb on a serving dish. Drain sauce (you might need to add some veal stock). Serve with white onions simmered in butter.

POULET À L'ESTRAGON

POUR 4 PERSONNES:

1 poulet entier de 900 g environ (2 lb)
60 g (2 oz) de beurre
60 ml (4 c. à soupe) d'huile d'olive
2 gros bouquets d'estragon
60 g (2 oz) d'échalotes, hachées
2 gousses d'ail, écrasées
250 ml (1 tasse) de vin blanc sec
500 ml (2 tasses) de bouillon de poulet
240 g (8 oz) de champignons, coupés en quartiers
250 ml (1 tasse) de crème 35 %

Mettre un bouquet d'estragon à l'intérieur du poulet et le ficeler.

Dans une cocotte, en fonte de préférence, faire colorer légèrement le poulet dans l'huile et le beurre. Saler et poivrer.

Ajouter le vin blanc, le bouillon de poulet, l'échalote hachée, l'ail écrasé et le deuxième bouquet d'estragon effeuillé. Couvrir avec le couvercle et enfourner pendant 1 h à 1 h 15 dans un four à 180 °C (375 °F).

Sortir du four, retirer le poulet. Passer le fond de cuisson et remettre sur le feu. Ajouter les champignons et réduire jusqu'à une tasse. Ajouter la crème 35 % et réduire la sauce de nouveau. Vérifier l'assaisonnement.

Découper le poulet et servir avec du riz.

ENTRECÔTE MARCHAND DE VIN

POUR 4 PERSONNES:

2 entrecôtes de 300 g (10 oz) chacune
60 g (2 oz) de beurre
60 ml (4 c. à soupe) d'huile d'olive
60 g (2 oz) d'échalotes, hachées
250 ml (1 tasse) de vin rouge
250 ml (1 tasse) de fond de veau
15 ml (1 c. à soupe) de vinaigre de vin
125 ml (1/2 tasse) de crème 35 %
5 g (1 c. à café) de persil, haché
Sel et poivre

Dans une poêle, chauffer l'huile et le beurre. Faire cuire les entrecôtes. Saler et poivrer. La cuisson terminée, réserver les entrecôtes au chaud.

Dégraisser la poêle, ajouter l'échalote hachée, le vin rouge, le fond de veau et un filet de vinaigre. Laisser réduire jusqu'à environ une tasse de liquide. Ajouter la crème 35 % et réduire de nouveau. Vérifier l'assaisonnement.

Découper chaque entrecôte en longues aiguillettes. Servir en nappant la sauce sur le dessus, parsemer de persil haché et servir avec des pommes de terre frites.

PÊCHES GRAND DUC

POUR 4 PERSONNES:

4 pêches mûres
8 morceaux de génoise, coupés en forme circulaire de 8 cm (3 po)
30 g (1 oz) de beurre
150 g (5 oz) de sucre
60 ml (4 c. à soupe) de kirsch
240 g (8 oz) de framboises
Le jus d'un demi-citron
Crème façon chantilly (crème 35 % montée, sucrée et parfumée à l'eau de fleur d'oranger)

Faire le coulis de framboise en passant au mélangeur les framboises, le jus de citron et la moitié du sucre. Conserver le coulis tel quel sans le passer.

Éplucher les pêches. Au besoin, pocher quelques secondes dans l'eau bouillante pour faciliter cette opération. Les couper en deux et retirer le noyau.

Faire fondre le beurre dans une poêle, ajouter les demi-pêches, saupoudrer avec le reste du sucre et les faire rôtir rapidement à feu vif. Ajouter le kirsch et laisser réduire un peu. Retirer du feu.

Déposer les demi-pêches sur chaque fond de génoise. Napper avec le coulis de framboise et décorer avec la crème chantilly.

TARRAGON CHICKEN

4 SERVINGS:

1 whole chicken 900 g (2 lb)
60 g (2 oz) butter
60 ml (4 tablespoons) olive oil
2 bunches of tarragon
60 g (2 oz) shallots, minced
2 garlic cloves, crushed
250 ml (1 cup) dry white wine
500 ml (2 cups) chicken stock
240 g (8 oz) mushrooms, quartered
250 ml (1 cup) whipping cream

Place one bunch of tarragon into the chicken cavity and truss with poultry skewers.

In a cast iron skillet, brown chicken in oil and butter. Season with salt and pepper.

Add white wine, chicken stock, shallot, garlic and second bunch of tarragon, chopped. Cover and cook for 1 hour to 1 hour 15 minutes in a preheated oven at 180 °C (375 °F). Remove chicken from the oven and transfer to a warm plate.

Drain drippings and place over heat. Add mushrooms and reduce to one cup. Add cream and reduce until mixture is smooth. Correct seasoning.

Slice the chicken and serve with rice.

RIB STEAK MARCHAND DE VIN

4 SERVINGS:

2 rib steaks 300 g (10 oz) each
60 g (2 oz) butter
60 ml (4 tablespoons) olive oil
60 g (2 oz) shallots, minced
250 ml (1 cup) red wine
250 ml (1 cup) veal stock
15 ml (1 tablespoon) wine vinegar
125 ml (1/2 cup) whipping cream
5 g (1 tablespoon) chopped parsley
Salt and pepper

In a skillet, heat oil and butter. Sauté rib steaks. Season with salt and pepper. Remove and place in a warm oven.

Deglaze the skillet. Add shallots, red wine, veal stock and vinegar. Reduce to one cup of liquid. Add cream and reduce further. Correct seasoning.

Cut each steak into long strips. Pour sauce over (meat) and sprinkle with chopped parsley. Serve with French fries.

PEACHES GRAND DUC

4 SERVINGS:

4 ripe peaches
8 pieces of pound cake, cut into 8 cm (3 in.) circles
30 g (1 oz) butter
150 g (5 oz) sugar
60 ml (4 tablespoons) kirsch
240 g (8 oz) raspberries
Juice of half a lemon
Chantilly cream (whipped cream with sugar and flavoured with orange blossom water)

In a food processor, mix raspberries, lemon juice and half the sugar. Set aside without straining.

Peel the peaches. If necessary, poach for a few seconds in boiling water to facilitate peeling process. Cut peaches in half and remove the pit.

In a skillet, melt butter. Add peach halves, sprinkle with rest of sugar and cook over high heat. Add kirsch and cook for a few minutes. Remove from heat.

Arrange peach halves on the cake. Pour raspberry coulis over top and garnish with Chantilly cream.

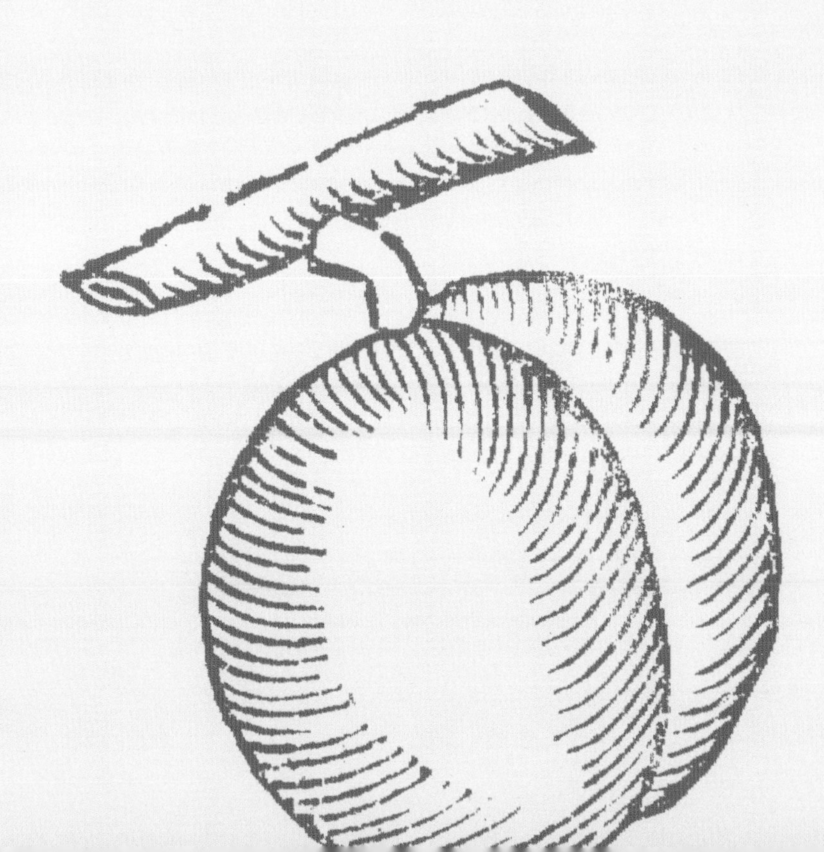

De 1700 à 1760 en Nouvelle-France

À la fin du XVIIe siècle, la Nouvelle-France compte à peine 16 400 personnes dont 7 700 environ ont moins de quinze ans. Et si de la population adulte on soustrait les vieillards et les invalides, les coureurs des bois et les citadins (qui représentaient à eux seuls le quart de la population), on comprend mieux pourquoi les gouverneurs et les intendants sont constamment à la recherche des moyens de remédier à la difficile situation des campagnes où l'on ne trouvait pas de monde « pour (...) faire valoir les terres ». De multiples requêtes en nouveaux colons et soldats de recrue ne trouveront pas d'écho en métropole, de sorte que laissée à elle-même et à la natalité seule, même si cette dernière est remarquable, la colonie vivra des heures difficiles au cours de cette première moitié du XVIIIe siècle.

Mis à part quelques marchands et quelques bourgeois aux moyens souvent modestes et une petite noblesse coloniale réelle ou prétendue, seuls les habitants qui travaillent avec soin leurs terres se tirent assez bien d'affaire ; mais s'ils ont suffisamment à manger, il ne parviennent pas à l'aisance, car leurs cultures sont essentiellement de subsistance. Curieusement, ils trouvent tout au long de l'année à s'alimenter de façon plus équilibrée que leurs contemporains du vieux continent. Cependant, ils ne peuvent compter que sur eux-mêmes car le commerce de détail pour se procurer les denrées essentielles est pratiquement inexistant dans la colonie et ne concerne pas « les gens du commun ». Même se faire payer de ses travaux autrement qu'en provisions de bouche est quasiment impossible, faute de numéraire ou de système fiable d'échange. Le troc restera la principale formule d'échange pendant cette première moitié du XVIIIe siècle.

Au XVIIIe siècle, les nobles étaient nombreux en Nouvelle-France et particulièrement au Canada. Comme en France à cette époque, plusieurs d'entre eux étaient propriétaires d'au moins une seigneurie ; ils mettaient généralement leurs talents au service de l'état, soit dans le fonctionnarisme, soit dans l'armée où ils détenaient des postes d'officiers. Ils étaient fortement attachés aux valeurs aristocratiques et militaires qui étaient celles de la métropole : sens aiguë de la hiérarchie, recherche dans les manières et le vêtement, propension aux dépenses de prestige, ambition d'un rang social plus élevé, quête constante de distinctions.

Or, l'obtention des promotions, privilèges et honneurs dépendait le plus souvent des relations et des appuis qu'on avait su se ménager, notamment dans la mère-patrie, mais beaucoup aussi autour de soi, parmi les dirigeants de la colonie. Cette recherche de distinction n'est pas le seul fait de la noblesse. Les marchands et les bourgeois commencent à s'y adonner volontiers et tout cela donne lieu à une vie sociale et mondaine où l'exubérance n'est pas exclue et qui fait grand contraste avec la vie plutôt austère de l'habitant moyen. Nulle part ailleurs qu'à table peut-on constater un clivage aussi profond.

Life in Nouvelle-France from 1700 to 1760

The population of Nouvelle-France at the end of the XVIIth century was estimated at 16,400, of whom 7,700 were under the age of 15. If we exclude from the remaining population old people and invalids, fur traders, woodsmen, and city dwellers, who alone accounted for one-fourth of the population, it is easy to understand why governors and district administrators were persistently in search of any means to remedy the absence of people to "turn the land to account". Though governors called on many new colonists, new soldiers and recruits from the city; their appeals went unanswered. And so, left unexploited and underpopulated with the exception of new births in existing families, which was a promising situation, the new colony struggled through a difficult first half of the XVIIIth century.

Save for a handful of merchants, a few gentlemen of modest means and a small cluster of colonial nobility genuine or assumed, only the inhabitants who worked the land with care muddled through reasonably well. Yet, though they ate well, they were never affluent, for their crops were little more than subsistence harvests. Ironically, in the course of a year, they found ways and means of eating a more balanced diet than their European counterparts; however, they could only rely on themselves, because the retail trade of essential commodities was virtually non-existent in the colony at that time. As well, payment for services rendered often came in the form of food rather than coinage or other forms of reliable exchange. Therefore, barter remained the principal form of trade in the first half of the XVIIIth century.

A Noble Society

In the XVIIIth century, the population of landed gentry was significantly high in Nouvelle-France, but more so in the rest of Canada. At that time, many aristocrats owned at least one seigneury. Usually, they chose to serve the State either as civil servants or officers in the army. They retained strong ties to the patrician and military values that were those of the city: reverence for hierarchical standing, sophisticated manners and a lofty sense of style, a taste for status spending, ambition to elevate themselves to a higher state in life, and constant pursuit of honours.

That said, promotions, privileges and honours depended largely upon relations and support gained from the mother country in particular, but most generally from one's peers amongst the administrators of the colony. This constant quest for honours was not simply the private preserve of the landed gentry; however, merchants and members of the bourgeois class also sought to secure standing in society. All this gave rise to a social life filled with excitement and glamour in sober contrast to the simpler life of the average citizen. And nowhere else was this cleft more evident than at the dining table.

Les grands festins

À Québec, les gouverneurs de la Nouvelle-France ont un penchant marqué pour la bonne chère. Parmi eux, Frontenac est reconnu comme un fin gourmet, tant pour ses goûts dispendieux que par le talent dont doivent faire preuve les cuisiniers travaillant à son service. Tous les gouverneurs arrivent, en général, dans la colonie avec une équipe composée de serviteurs, d'un maître d'hôtel, d'un chef de cuisine, de cuisiniers, de pâtissiers et de sommeliers. Il est dit que Frontenac avait même à son service un confiseur qui, lors de réceptions d'émissaires amérindiens, concoctait des plats de glaces multicolores afin d'impressionner les convives.

Le Marquis de La Jonquière, également connu pour ses goûts recherchés, va consacrer jusqu'au quart de ses dépenses au chapitre des provisions lors de son voyage au Canada en 1752. Le plus fastueux est sans aucun doute l'intendant Bigot qui ne manque aucune occasion de faire des repas somptueux, que se soit à Québec ou à Montréal. Comme plusieurs de son rang à son époque, Bigot croyait que ses réceptions grandioses étaient un témoignage d'honneur fait à son roi. L'intendant est un fin gourmet. Tous ses plats sont servis dans de la vaisselle d'argent d'une finesse qui fait des jaloux même à la cour de France. Lorsque l'hiver commence et que les officiers regagnent la capitale, c'est signe que les grands bals et les festins débutent au palais. Tous les jours, une table de 20 à 30 couverts est dressée pour des repas opulents et toujours abondamment garnis. Les dépenses pour ses soirées quotidiennes s'élevaient à 40 000 livres par an! En 1750, à l'occasion du Carnaval, Bigot donne de grands bals, comprenant un somptueux « ambigu », mot à la définition souvent galvaudée mais que certains spécialistes s'entendent pour dire qu'il désignait un repas nocturne, un souper à proprement parler, pris au cours d'une soirée, entre minuit et deux heures du matin, et qui était composé de mets, d'entremets et de desserts servis en même temps, à la manière de nos buffets actuels. Au sujet de ces repas, Montcalm trouve que les soupers chez l'intendant, où l'on y mange très tard, rappellent parfois « l'atmosphère de la taverne ».[15] On raconte également qu'en janvier 1757, alors que les habitants sont réduits à manger du pain rassi et de la viande de vieux cheval, Monsieur Bigot donne chez lui des réceptions de 80 couverts où, suite à l'exubérance du repas, l'on danse accompagné d'un orchestre sous des lustres scintillants. Ces soirées extravagantes sont fréquentes et Bigot ne semble pas anxieux quant au sort de sa colonie. Montcalm qui prend place à la fête, même s'il prétend s'y ennuyer, note dans un moment de désillusion : « On se divertit, on ne songe à rien, tout va et ira au diable ».

Le bénédicité

Un souper de cérémonie au Château, 1897
The dinner of Ceremony at the Château, 1897

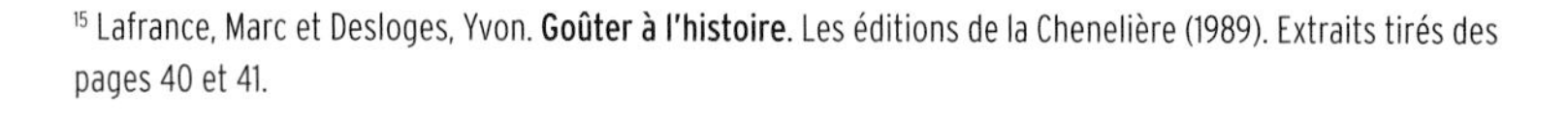
[15] Lafrance, Marc et Desloges, Yvon. **Goûter à l'histoire.** Les éditions de la Chenelière (1989). Extraits tirés des pages 40 et 41.

The blessing

Great Feasts

In Quebec City, governors of Nouvelle-France were partial to fine cuisine. Among them, Sieur de Frontenac was reputed to be quite the connoisseur both in his expensive taste as well as in his insistence upon excellence on the part of his kitchen staff. All governors went to the colony with their own servants, a major-domo, a chef, a number of cooks, pastry chefs and wine stewards. It is reported that Frontenac even had his own candy maker who would concoct a variety of colourful iced cakes to impress his guests at receptions honouring native emissaries.

The Marquis de La Jonguière, also known for his cultivated taste, assigned up to one-quarter of his resources to purchase provisions on his voyage to Canada in 1752. Likewise, Administrator Bigot was without a doubt the most excessive lover of elaborate feasts in Quebec or in Montreal. Bigot believed that his ostentatious soirées were an honorary tribute to his Majesty, as did many notables of his rank at that time. Bigot was a gourmet and a cognoscente. Meals were served on silverware so refined that it was actually the envy of nobles at the Court of France. The arrival of winter, when officers returned to the capital, was the signal to hold splendid balls and elaborate feasts at the palace. Tables were set with 20 to 30 courses at a time, and this on a daily basis, consisting of sumptuous, lavishly garnished meals.

These gatherings cost Bigot upwards of 40,000 French "livres" a year! On the occasion of *Carnaval de Québec* in 1750, Bigot held a number of grand balls including an opulent "ambiguous" event – an obscure term that some experts reckoned to mean a nocturnal feast – that was, in essence, a late meal served between midnight and the wee hours of the morning. It consisted of dishes, entremets and deserts, all served at once, somewhat in the same fashion as a modern-day buffet. In a comment regarding these late-night meals, Montcalm admitted that the ambience often reminded him of "that of a tavern"[15]. History books tell us that in January 1757, while ordinary residents were compelled to eat stale bread and old horse meat, Mr. Bigot invited up to 80 guests to enjoy succulent, elaborate meals in lavish splendour. Afterwards, an orchestra further entertained his guests as they danced the night away under sparkling candelabra. There were many such extravagant celebrations, and Bigot himself appeared quite oblivious to the fate of his colony. While attending one of these soirées, which he claimed to find uninteresting, Montcalm quipped, in a moment of dissatisfaction, "We are enjoying ourselves, we think of nothing, everything is going to the dogs!"

[15] Lafrance, Marc and Desloges, Yvon. **Goûter à l'histoire**. Les éditions de la Chenelière (1989). Excerpts from pages 40 and 41.

Ce n'est pas seulement à la table du Château Saint-Louis ou au palais de l'intendant que les festins se déroulent ; le palais épiscopal ne laisse pas sa place. Si l'on exclut les premiers évêques de Québec, Laval et Saint-Vallier, qui sont considérés comme des modèles de sobriété, leurs successeurs sont reconnus comme étant de bonnes fourchettes. Dosquet et Pontbriand, entre autres, ont dans leur garde-manger des aliments recherchés et chers, loin de l'abstinence qu'ils prêchent parfois du haut de leur chaire.

Les personnages en poste, à l'intérieur des trois palais, disposent d'une infrastructure imposante pour se permettre d'offrir ces repas princiers. D'abord de superbes jardins où les fruits et les légumes sont disponibles en quantité et en variété. « Et pendant la saison froide ? » me direz-vous. Selon Bacqueville de La Potherie, en parlant des caves qui ressemblent sans doute à celles du séminaire, « on dirait en hiver que ce serait un jardin où tous les légumes sont par ordre comme dans un potager ». Demeurant toujours au chapitre des caves, celles où l'on trouve le vin ne manquent pas de bouteilles non plus. Comme certains des gouverneurs ont même leur sommelier, la qualité et la variété est au rendez-vous. On y retrouve du Champagne, des Graves, des St-Émilion et des Bordeaux et non les moindres, car déjà il y a des crus Haut Brion. Les liquoreux ne manquent pas non plus, ceux de Navarre, des Canaries, de Muscat ou d'Espagne, ainsi que des eaux-de-vie de Cognac.

Bal au Château St-Louis, 1801

Les chefs cuisiniers et leurs équipes sont bien installés dans leurs cuisines spacieuses généralement pourvues de deux âtres, ce qui permet de cuire les viandes aussi bien rôties, à la broche ou sur le grill, mais aussi de cuisiner à même l'âtre dans des marmites suspendues à des crémaillères. On y trouve parfois à coté de l'âtre, le four à pain où cuisent les pâtés, les tourtes ou les préparations des pâtissiers. Attenant à l'âtre, des fours de briques, percés de plusieurs ouvertures et chauffés avec les braises de l'âtre, permettent de faire mijoter ou de cuire à l'étouffée des ragoûts et des sautés de toutes sortes.

Les cuisiniers ne manquent de rien en fait d'ustensiles de cuisine. De la braisière à la chaponnière en passant par les poissonnières, les poêlons en cuivre et les poêles à frire, tout est là, pour faire de ces repas majestueux et royaux des souvenirs impérissables.

Dance at the Château St-Louis, 1801

The dining table of the Château Saint-Louis and the governor's palace were not the only banquet venues; the Episcopal Palace was also the scene of many events of this kind. The first bishops of Quebec, Laval and Saint-Vallier, were both deemed exemplary models of sobriety. Their successors, however, were reputed to be quite the epicures. Dosquet and Pontbriand, among others, kept fine, expensive food in their larders, even while preaching abstinence from the pulpit!

Men who held such ranks in each of the three palaces had all the necessary means to support such princely feasts: fruit and vegetables in abundance and variety in their well-appointed gardens. "What about the cold season?" you ask. Cellars were the ideal place to store vegetables. Those of the Seminary were "stored in a precise order resembling that of a garden", Bacqueville de La Potherie once wrote on the subject. Speaking of cellars, those containing wine were far from insignificant. As a number of governors had sommeliers on staff, the quality and diversity of wines in their cellars was up to standard. Among them, champagnes, as well as a number of impressive vintages such as Graves, St-Émilion, Bordeaux and the prestigious Haut Brion. Sweet wines were also on the menu, namely those of Navarre, Canaries, Muscat and Spain including the ever-present cognac aqua vitae.

"Chief cooks" and their staff worked in well appointed, spacious kitchens often equipped with two cooking hearths; in this way it was possible, at once, to cook and roast meats on a spit or the grill while stirring pots of food suspended from trammels. The bread oven was often situated to one side of the hearth; in it, the chef would bake bread, pâtés, tortes or pastry. Also standing next to the hearth, brick ovens with numerous slit perforations were dedicated to simmering and steaming various ragouts and sautéed dishes.

Cooks did not lack kitchen hand tools. Be it a braiser or a capon cooker, a fish poacher, copper pan or frying pan, the entire range of utensils was at hand to prepare lavish, splendid meals and create lasting memories.

CORÉGONE À L'AMBASSADRICE

POUR 4 PERSONNES :

4 portions de 150 g (5 oz) de filet de corégone
180 g (6 oz) de champignons, émincés
500 ml (2 tasses) de vin blanc
250 ml (1 tasse) de fumet de poisson
60 ml (4 c. à soupe) de jus de truffe
60 ml (4 c. à soupe) de cognac
125 ml (1/2 tasse) de crème 35 %
1 pincée de paprika
Le jus d'un demi-citron
2 jaunes d'œuf
120 g (4 oz) de beurre, coupé en cubes
30 g (1 oz) de truffe, en julienne
Sel et poivre

Dans une casserole, déposer les champignons émincés, le vin blanc, le fumet de poisson, le jus de truffe et le cognac. Placer les filets de corégone par-dessus. Saler et poivrer. Cuire doucement sur le feu.

Retirer les filets, réduire le fond de cuisson de moitié. Ajouter la crème, la pincée de paprika et le jus de citron. Réduire encore un peu. Ajouter les jaunes d'œuf et fouetter énergiquement sur un feu moyen pendant deux minutes. Et finalement, additionner petit à petit le beurre, en petits morceaux. Saler et poivrer. La sauce doit rester onctueuse.

Dresser dans l'assiette et napper avec la sauce. Décorer de juliennes de truffe.

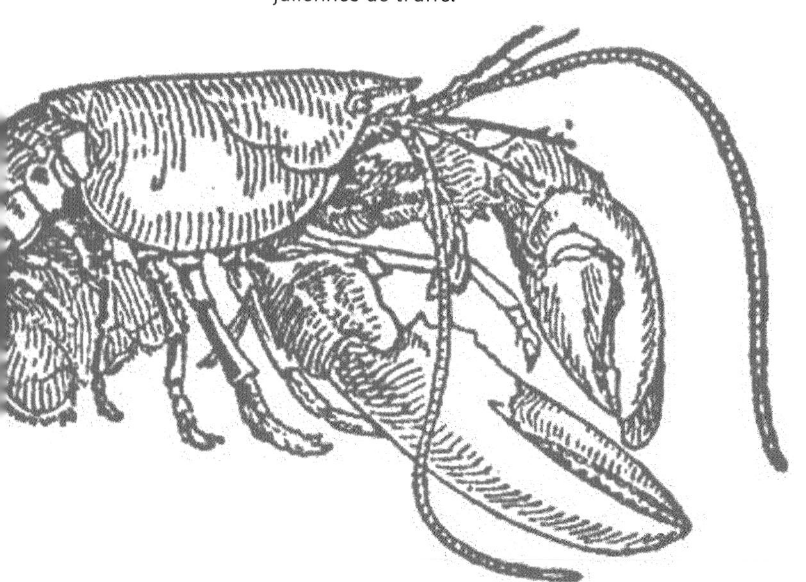

HOMARD AU CHAMBERTIN

POUR 4 PERSONNES :

4 homards de 675 g (1 1/2 lb) environ
120 g (4 oz) de beurre
60 ml (4 c. à soupe) d'huile d'olive
1 oignon, coupé en morceaux
1 carotte, coupée en morceaux
2 échalotes, coupées en morceaux
1 gousse d'ail, écrasée
60 ml (4 c. à soupe) de marc de Bourgogne
ou de cognac
1 bouteille de Chambertin ou à défaut une bonne
bouteille de Bourgogne rouge
125 ml (1/2 tasse) de fumet de poisson
1 bouquet garni
1 pincée de poivre de Cayenne
3 filets d'anchois, lavés et coupés menu
30 g (1 oz) de farine
4 gros croûtons de pain tranché, grillés et taillés
en forme de cœur
Sel

Couper le homard vivant, en coupant la tête en deux afin de récupérer le corail à l'intérieur. Tronçonner la queue en 4 à 5 morceaux et casser les pinces avec l'envers du couteau.

Dans une casserole, chauffer l'huile et un peu de beurre. Faire revenir les morceaux de homard, l'oignon, la carotte, l'échalote et l'ail sur un feu vif. Flamber avec le marc de Bourgogne ou le Cognac. Ajouter la bouteille de Chambertin et le fumet de poisson. Saler et ajouter une pincée de poivre de Cayenne, le bouquet garni, les filets d'anchois et laisser cuire 15 minutes.

Retirer les morceaux de homard et réserver. Réduire le fond de cuisson à 500 ml environ (2 tasses). Mélanger le corail dans un bol à part avec le beurre restant préalablement ramolli. Ajouter un peu de farine, comme pour faire un beurre manié. Ajouter ce beurre à la réduction et faire bouillir doucement afin d'épaissir.

Remettre les morceaux de homard dans la sauce. Amener à un premier bouillon et servir dans une assiette ou un plat avec les croûtons grillés sur le dessus.

LAKE WHITEFISH "AMBASSADOR"

4 SERVINGS:

4 lake whitefish fillets
150 g (5 oz) each
180 g (6 oz) mushrooms, minced
500 ml (2 cups) white wine
250 ml (1 cup) fish stock
60 ml (4 tablespoons) truffle juice
60 ml (4 tablespoons) cognac
125 ml (1/2 cup) whipping cream
Pinch paprika
Juice of half a lemon
2 egg yolks
120 g (4 oz) butter, cut into cubes
30 g (1 oz) truffle, julienne
Salt and pepper

In a large saucepan, combine mushrooms, white wine, fish stock, truffle juice and cognac. Arrange fillets on this mixture. Season with salt and pepper. Cook over low heat.

Remove fillets and reduce liquid to half. Add cream, a pinch of paprika and lemon juice. Reduce to thicken. Add egg yolks and whisk firmly over medium heat for two minutes. Finally, add butter, one cube at a time, whisking constantly. Season with salt and pepper. The sauce must remain smooth.

Place fish on a serving dish and pour sauce over top. Garnish with shavings of truffle.

LOBSTER WITH CHAMBERTIN SAUCE

4 SERVINGS:

4 lobsters 675 g (1 1/2 lb) each
120 g (4 oz) butter
60 ml (4 tablespoons) olive oil
1 onion, chopped 1 carrot, diced
2 shallots, minced
1 garlic clove, crushed
60 ml (4 tablespoons) marc de Bourgogne or cognac
1 bottle of Chambertin or red burgundy
125 ml (1/2 cup) fish broth
1 herb bouquet
1 pinch cayenne
3 anchovy fillets, rinsed and chopped
30 g (1 oz) flour
4 large croutons, toasted and cut into heart shapes
Salt

Cut lobster in half lengthwise while it is still alive. Recover the roe. Cut the tail cross-wise into 4 or 5 pieces and crush the claws using the back of a large knife.

In a saucepan, heat oil and a small amount of butter. Sauté lobster pieces, onion, carrot, shallot and garlic over high heat. Flambé with the marc de Bourgogne or cognac. Add wine and fish broth. Season with salt and add a pinch of cayenne pepper, herb bouquet and anchovy fillets. Simmer for 15 minutes.

Remove lobster pieces and set aside. Reduce liquid to 500 ml (2 cups). In another bowl, mix roe with remaining softened butter. Add flour and mix. Add this preparation to the reduction and simmer until it thickens.

Return lobster pieces to the sauce. Bring to a boil. Serve in a platter garnished with grilled croutons.

FAISAN AU CHAMPAGNE ET AUX CÈPES

POUR 4 PERSONNES

1 faisan de 900 g environ (2 lb)
150 g (5 oz) de beurre
60 ml (4 c. à soupe) d'huile d'olive
60 ml (4 c. à soupe) de cognac
1/2 bouteille (1 1/2 tasse) de champagne brut
250 ml (1 tasse) de crème 35%
250 ml (1 tasse) de fond de volaille
900 g (2 lb) de cèpes, nettoyés et tranchés en lamelles
60 g (2 oz) d'échalotes, hachées
2 gousses d'ail, hachées
5 g (1 c. à café) de persil, haché
Sel et poivre

Dans une cocotte, faire chauffer un peu de beurre et d'huile d'olive et colorer légèrement le faisan. Flamber au cognac. Ajouter le champagne, la crème 35 %, et le fond de volaille. Saler et poivrer. Remettre le couvercle et enfourner à 190 °C (375 °F) pendant 40 minutes.

Pendant la cuisson, dans une poêle, faire tomber les échalotes avec un peu de beurre et d'huile d'olive. À feu très vif, ajouter les cèpes. Ajouter l'ail, le persil, le sel et le poivre. Réserver.

Sortir le faisan et réserver. Passer la sauce et incorporer le restant de beurre. La sauce doit être onctueuse. Vérifier l'assaisonnement.

Détailler le faisan. Dans le fond de l'assiette, déposer les cèpes et le faisan par dessus. Napper de sauce.

CHATEAUBRIAND GRAND GALA

POUR 4 PERSONNES

2 chateaubriands de 360 g (12 oz) chacun
60 ml (4 c. à soupe) de cognac
60 g (2 oz) de beurre
60 ml (4 c. à soupe) d'huile d'olive
250 ml (1 tasse) de jus de truffe
125 ml (1/2tasse) de porto
125 ml (1/2 tasse) de fond de veau
120 g (4 oz) de foie gras (de préférence les chutes)
8 lames de truffe
Sel et poivre

Dans une poêle, chauffer le beurre et l'huile et cuire les chateaubriands. Assaisonner. Retirer de la poêle et conserver au chaud. Dégraisser la poêle et déglacer avec le cognac, le jus de truffe, le porto et le fond de veau. Réduire à 250 ml (1 tasse) environ.

Récupérer les chutes de foie gras et les transformer en purée. Retirer la casserole du feu et à l'aide un fouet, monter la sauce avec le foie gras. Passer dans un chinois métallique fin en foulant à l'aide d'une louche. Vérifier l'assaisonnement.

Dresser sur un plat, déposer les lames de truffe sur les chateaubriands (taillés de manière à servir des tranches à chacun des invités). Servir la sauce en saucière.

Ce plat était anciennement servi avec des pommes de terre soufflées (un travail laborieux qui consiste à cuire des tranches de pomme de terre en friture de telle manière que de l'air puisse rentrer à l'intérieur, et par le fait même souffler le tubercule. Il faut alors de bonnes pommes de terre et un doigté pour trouver la bonne température).

MILLE-FEUILLE DE FRAISES, COULÉE DE CHOCOLAT

POUR 4 PERSONNES

4 feuilletés rectangulaires (du commerce)
450 g (1 lb) de fraises
60 g (2 oz) de sucre
60 ml (4 c. à soupe) d'eau de fleur d'oranger
250 ml (1 tasse) de crème 35%
30 g (1 oz) de sucre glace
150 g (5 oz) de chocolat noir mi-sucré

Dans un bol, mélanger les fraises avec le sucre et la fleur d'oranger. Dans un autre bol, fouetter la crème et ajouter le sucre glace. Séparer chaque feuilleté en trois.

Monter le mille-feuille en posant une couche de crème fouettée sur les deux premières tranches de feuilletage, puis disposer les fraises sur cette crème. Superposer les tranches en terminant par la dernière tranche sur le dessus.

Faire fondre le chocolat dans un bain-marie. Déposer le chocolat fondu dans un petit cornet en papier. Couper le bout du cornet et faire des lignes sur le dessus du feuilleté.

PHEASANT WITH CHAMPAGNE AND PORCINI MUSHROOMS

4 SERVINGS:

1 pheasant 900 g (2 lb)
150 g (5 oz) butter
60 ml (4 tablespoons) olive oil
60 ml (4 tablespoons) cognac
1/2 bottle (1 1/2 cup) champagne
250 ml (1 cup) whipping cream
250 ml (1 cup) chicken stock
900 g (2 lb) porcini mushrooms, cleaned and sliced
60 g (2 oz) shallots, minced
2 garlic cloves, minced
5 g (1 tablespoon) chopped parsley
Salt and pepper

In a casserole, heat butter and olive oil. Sauté pheasant until slightly brown. Flambé with cognac. Add champagne, whipping cream, and chicken stock. Season with salt and pepper. Cover and cook for 40 minutes in a preheated oven at 190 °C (375 °F).

In the meantime, heat butter and olive oil in a skillet. Cook shallots for a few minutes. Sauté porcini mushrooms over high heat. Add garlic, parsley, salt and pepper. Set aside.

Remove pheasant from pan and set aside. Strain sauce, incorporate butter and whisk until smooth. Correct seasoning.

Slice pheasant. In a serving dish, transfer porcini mushrooms and arrange pheasant pieces on top. Garnish with sauce.

TENDERLOIN "GRAND GALA"

4 SERVINGS:

2 beef tenderloins 360 g (12 oz) each
60 ml (4 tablespoons) cognac
60 g (2 oz) butter
60 ml (4 tablespoons) olive oil
250 ml (1 cup) truffle juice
125 ml (1/2 cup) port wine
125 ml (1/2 cup) veal stock
120 g (4 oz) foie gras
8 truffle slices
Salt and pepper

In a skillet, heat butter and oil and sauté tenderloins. Season. Transfer to a serving platter and keep warm. Remove excess fat and deglaze with cognac, truffle juice, port wine and veal stock. Reduce to obtain 250 ml (1 cup).

Purée the foie gras. Remove skillet from heat and whisk the foie gras into sauce. Using a strainer, force mixture through with the help of a ladle. Correct seasoning.

Garnish tenderloins with truffle slices. Serve sauce in a gravy boat.

This meal was traditionally served with puffed potatoes, a somewhat complicated technique that consisted in frying potato slices at the right temperature to allow air to penetrate the slice and create an air pocket. Quality potatoes and expertise in frying technique are essential to succeed.

STRAWBERRY MILLE-FEUILLES WITH CHOCOLATE COULIS

4 SERVINGS:

4 puff pastry squares (commercial)
450 g (1 lb) strawberries
60 g (2 oz) sugar
60 ml (4 tablespoons) orange blossom water
250 ml (1 cup) whipping cream, whipped
30 g (1 oz) sugar
150 g (5 oz) semi-sweet dark chocolate

In a bowl, combine strawberries, sugar and orange blossom water. In another bowl, beat the cream with the sugar. Trim each pastry into three equal sections.

Spread whipped cream on the first two pieces of puff pastry. Place strawberries on over the cream. Place third layer of pastry on top.

Melt chocolate in a double boiler. Let cool for a few minutes. Transfer chocolate to a small paper cone. Cut end of cone and garnish top of the mille-feuilles.

Les métiers de bouche : une tradition française

À la fin du XVIIe siècle, la colonie toute entière dépasse à peine les 15 000 habitants. La ville de Québec compte moins de 2 000 habitants. Fait remarquable pour une si petite population, on dénombre à Québec à cette époque une vingtaine d'aubergistes, ce qui montre bien l'importance accordée au fait de bien manger. En 1716, le curé de la paroisse de Québec, qui comprend la ville et ses banlieues, recense 2 300 âmes. Quatre décennies plus tard, un document de 1754 révèlera que, cette année là, sur les 55 000 habitants du Canada, 42 200 vivaient à la campagne et 12 800 dans les villes. Montréal qui comptait alors 4 000 âmes le cédait à Québec, capitale de la colonie et port de mer, dont la population (8 000 âmes) avait pratiquement quadruplé en quarante ans. Vers 1760, la ville de Québec compte alors 80 aubergistes dont les trois quarts sont originaires de France. Tous ces Français, irrités par les guerres franco-britanniques, par les représailles religieuses envers les protestants ou un peu plus tard par la Révolution française quittent la France pour l'Angleterre, les États-Unis ou le Canada où ils viennent d'abord s'installer à Montréal ou à Québec. Beaucoup vont s'établir à Québec, d'abord pour des raisons géographiques, puisque la ville était la porte d'entrée du Canada et la première escale d'importance en arrivant au pays. Mais il y a une autre raison.

Certains de ces immigrants cuisiniers s'installent de préférence à Québec parce que, dit un célèbre auteur français du XVIIIe siècle « Les gens de qualité ne vont pas au cabaret, ils vont manger chez le traiteur ».[16] Les citadins, quant à eux, ne sont pas de reste car ils affectionnent les mets préparés par les pâtissiers ou les boulangers.

Effectivement les services de traiteur sont fort recherchés par les gens plus fortunés et les fonctionnaires de la colonie.

La France à cette époque compte de nombreuses corporations comme celle des charcutiers, des bouchers, des boulangers, des limonadiers, des cafetiers, des confiseurs ; chacune comporte ses privilèges et donne droit d'offrir des services exclusifs. La maîtrise d'une profession ne s'obtient qu'après un apprentissage qui peut durer de trois à cinq ans et l'octroi des droits et privilèges associés à une corporation est essentiel pour exercer son métier. Ce système est lourd pour qui veut s'établir en commerce et plusieurs songent à quitter le pays pour se soustraire aux nombreuses tracasseries administratives. Il faut noter que les cuisiniers-traiteurs français jouissent des droits de trois professions : ceux du pâtissier, du cabaretier et ceux du rôtisseur. Pour les obtenir la lutte est féroce; elle ne se déroule pas seulement entre les métiers, mais à l'intérieur de chaque corporation. Celui qui possède le statut de traiteur peut donc organiser les noces ou les festins, tant chez lui qu'à l'extérieur. Le traiteur est en fait à l'origine de la profession de restaurateur qui n'existe pas encore, à proprement parler, en ce début de XVIIIe siècle.

Un cuisinier officiant à ses fourneaux, « une invention toute récente.... venue d'Europe ».

Commentaire

[16] Au XVIIe siècle, on surnommait « coq » les cuisiniers qui travaillaient à bord des bateaux. Ce mot d'origine néerlandaise était utilisé en Nouvelle-France pour désigner les cuisiniers qui accompagnaient les missionnaires. Le mot d'origine anglaise *cook* qui signifie cuisinier en français, bien que semblable phonétiquement, n'est pas issu de la même origine.

Food Craft: a French Tradition

There were no more than 15,000 inhabitants in the colony at the end of the XVIIth century. Considering that the city of Quebec had a population of less than 2,000, it may seem odd that it boasted no fewer than 20 innkeepers; but this clearly demonstrates the importance attributed to eating well. In 1716, the parish priest of Quebec enumerated 2,300 parishioners in his city; this figure represented the town and its environs. Forty years later, a report published in 1754 stated that of the 55,000 people in Canada, 42,200 lived in the country while 12,800 resided in cities. At that time, there were 4,000 inhabitants in Montreal while the population of Quebec City had quadrupled to 8,000 inhabitants. Quebec thus became the capital and principal sea port. Around 1760, there were 80 innkeepers doing business in the city of Quebec; of these, 75 percent had emigrated from France. Upset with the wars between France and Britain, religious persecution of Protestants, and later troubled by the French Revolution, they left France and travelled to Britain, the United-States or Canada; here, they settled in Montreal or Quebec. Many of them chose Quebec as it was geographically more readily accessible and the doorway to the rest of the country, being the first major port city on the route to Canada. There was yet another reason.

A number of immigrant chefs decided on Quebec as their new home, because as a renowned XVIIIth century French author once said: "High-born people do not patronize the cabaret, they dine at the caterer's."[16]

In truth, in France, caterers were quite sought-after in upper class circles. People of the city also did good business with local pastry makers and bakers. If, at that time, France boasted many guilds such as the pork butchers', the butchers', the bakers', the soda-fountain keepers', the coffeemakers', and the candy makers' alliance. French caterers were certified in three distinct professions, that of pastry chefs, publicans, and meat chefs. These guilds were essential, because their members gained special privileges; moreover, each additional privilege was obtained without regard for another person or another professional body. The battle for such privileges did not take place solely between, but within each guild. A master's degree was granted after a three to five-year apprenticeship and only after the student submitted a unique set piece.

A caterer would plan and provide for weddings or banquets at his own place of business or at a special setting. The publican belonged to the guild of wine merchants; he could sell wine, set a table and serve certain dishes. This principle was quite tedious for a person wishing to establish a business concern; many contemplated leaving the country to elude such administrative irritants.

A typical cook officating in a "modern" kitchen, equiped with a stove... a recent innovation from Europe.

Comment

[16] Cooks working on ships in the XVIIth century were called "coq" (rooster?), a word of Dutch origin that was also used to identify cooks that accompanied missionaries. The English word *Cook* that translates into French as *cuisinier,* though phonetically similar, does not have the same origin.

Au Canada, cette ségrégation entre corporation n'existe pas. Si l'apprentissage existe, il n'a pas toute la rigueur française. Peu de professionnels recrutent des apprentis et les secrets de leurs professions ne sont pas aussi jalousement gardés en comparaison de leurs homologues français. Souvent même ils seront transmis de père en fils. Il est à noter aussi, qu'au Canada, on compte beaucoup moins de métier de bouche qu'en France au XVIIIe siècle. Si Frontenac avait à son service un confiseur parmi son personnel, on ne trouve pas d'enseigne de cette profession dans les rues, pas plus que celle de rôtisseur ou de charcutier avant la deuxième moitié de ce siècle. Il faut dire aussi que la population citadine est principalement composée de l'aristocratie locale, de bourgeois, de marchands grands et petits, de gens de fonctions publiques diverses, d'artisans et de gens de petits métiers. Le marché pour ceux qui oeuvrent dans les métiers de bouches plus raffinés demeure assez mince. Il faudra attendre encore près d'un siècle avant de voir ces métiers se populariser. Le cabaret et l'auberge sont néanmoins des endroits fort courus de tous. Lieux de discussions et de fêtes, ils sont mal vus par les autorités qui y voient l'occasion de débauche et de violence.

Pour revenir à la profession de traiteur, elle semble hautement prisée par les professionnels des métiers reliés à l'alimentation. On constate qu'une majorité d'entre eux après avoir travaillé pour les gouverneurs, les évêques ou les notables de la colonie, se recyclent pour leur propre compte. On note que ces professions sont toujours étroitement surveillées par les autorités administratives, surtout en ce qui a trait au service de l'alcool. Vers 1750, il est de bon goût de se rendre chez le traiteur Alexandre Picard anciennement chef cuisinier de l'officier Bourlamarque, d'aller chez Jacques Lemoine, autrefois chef de cuisine au Séminaire de Québec, ou bien chez Jean Amiot qui arrivait des cuisines du gouverneur La Galissonnière qui exerçât ses fonctions en 1748 et 1749. Ces Français d'origine assument la relève des Lecompte et Joignet, les premiers ayant exercé dans la profession à la fin du XVIIe siècle et au début du suivant. Nous pouvons même constater que la cuisine mène à la politique. Le plus connu de ces traiteurs est un certain Alexandre Menut, cuisinier des gouverneurs Murray puis Carleton, et tenancier de l'auberge, *The Blue House Inn*, en 1768. La Gazette de Québec écrit le 8 janvier 1778 que ce Bocuse canadien « faisait montre de talents supérieurs dans l'art de traiter ». En 1796, il est élu député de Cornwallis, supporteur du Parti Canadien. Le politicien Menut cesse alors d'officier à la cuisine ; il vend même l'un de ses commerces à un ex-cuisinier du gouverneur Clark, Charles-René Langlois, qui deviendra le premier restaurateur canadien au sens moderne du terme.

Il n'y a pas seulement les traiteurs qui prennent leur place dans les métiers de bouche. Les pâtissiers sont également présents. On peut retrouver un certain Pélissier, arrivé à Québec en 1740 à l'âge de 26 ans qui, après avoir œuvré pour l'intendant, établit son échoppe de pâtissier et sa résidence sur la rue du Parloir à côté de l'actuel Château Frontenac. On le trouvera un peu plus tard sur la rue Ste-Anne.[17]

ANECDOTES

[17] QUÉBEC PEUT PRÉTENDRE AVOIR HÉBERGÉ LE PREMIER CAFETIER DE LA COLONIE. PIERRE HÉVÉ, QUI SE CONSIDÈRE ÊTRE PARVENU À LA FINE POINTE DE LA MODE PARISIENNE, S'INSTALLE SUR LA RUE SAINT-PIERRE, DANS LA BASSE-VILLE EN 1739. SES AFFAIRES SONT NÉANMOINS TRÈS BRÈVES, LA CLIENTÈLE MANQUANT.

COMMENTAIRE

[17] Lafrance, Marc et Desloges, Yvon. **Goûter à l'histoire**. Les éditions de la Chenelière (1989). Extraits tirés des pages 55 à 57.

ANECDOTES

[17] QUEBEC RIGHTFULLY CLAIMS TO HAVE OPENED ITS DOORS TO THE FIRST COFFEE MAN IN THE COLONY. PIERRE HÉVÉ, HAVING REACHED THE PINNACLE OF PARISIAN FASHION, ESTABLISHED HIS COFFEE BUSINESS ON RUE ST-PIERRE, IN QUEBEC CITY'S *BASSE-VILLE* IN 1739. HIS VENTURE WAS OF SHORT DURATION DUE TO THE ABSENCE OF CLIENTELE.

This division did not exist in Canada. Apprenticeship remained a formal rule, yet it did not carry the same rigidity as in France. Some professionals employed apprentices, and so their trade secrets were not so jealously guarded as were those of their French counterparts. In fact, in many instances, culinary secrets were passed on from father to son. It is also worthy of note that in Canada, there were fewer food-related occupations than in France during the XVIIIth century. Frontenac might have had his own personal confectioner at his service, yet no such trade sign appeared on the front of shops, nor were there meat chefs or pork butchers during the second half of that century. In essence, the population of the city consisted mainly in local aristocracy, middle-class folk, as well as merchants large and small, a number of civil servants, artisans, and small trade people. And so opportunities for individuals attracted to more sophisticated food-related occupations were limited at best. Another century will come and go before such professions become more widespread. Nevertheless, cabarets and inns were still quite popular; they were pleasant meeting places for discussions and celebrations, yet sorely frowned upon by the authorities who saw in them nothing more than places of violence and depravity.

On the subject of catering, it was a highly regarded profession of specialists working in the food trade. It was noted that many of them started up their own commerce following employment in the service of a governor, a bishop or other notable of the colony. They were, however, severely scrutinized by the administrative authority, especially in the matter of alcohol. In the early days of 1750, it was deemed a privilege to make a visit to caterer Alexandre Picard, formerly head chef of Officer Bourlamarque, to Jacques Lemoine, once kitchen chef at the Séminaire de Québec or to Jean Amiot who had recently left the kitchen duties at the home of Governor La Galissoniière, administrator of Quebec in 1748 and 1749. All three gentlemen of French origin succeeded others such as Lecompte and Joignet, the first catering professionals, at the end of the XVIIth century and the dawn of the next. According to documented accounts, it seemed that the culinary arts lead to political life. The most famous among them is Alexandre Menut, chef for Governors Murray, then Governor Carleton. Menut managed The Blue House Inn in 1768. An article appeared in the Quebec paper, La Gazette, on January 8, 1778, stating that this Canadian Bocuse: "displays exceptional talent in the art of catering". Alexandre Menut was elected Deputy of Cornwallis, political supporter of the Canadian Party in 1796. Menut, the politician, then ceased to oversee his kitchens: he sold one of his business concerns to Charles-René Langlois, chef under Governor Clark. Langlois later became the first Canadian restaurateur, as they are known today.

Along with caterers, who served the public in food-related occupations, pastry chefs began to practise their profession also. A 26 year-old pastry chef by the name of Pélissier, who arrived in Quebec in 1740, set up his pastry shop in his home on rue du Parloir next to the present-day Château Frontenac after having served some time under the district administrator. He later moved his commerce to rue Ste-Anne.[17]

COMMENT

[17] Lafrance, Marc and Desloges, Yvon. **Goûter à l'histoire**. Les éditions de la Chenelière (1989). Excerpts from pages 55 to 57.

POTAGE PURÉE DE CÉLERI

POUR 8 PERSONNES

450 g (1 lb) de céleri rave, coupé en morceaux
3 branches de céleri, coupées en morceaux
1 gros oignon, coupé en morceaux
1 1/2 litre (6 tasses) d'eau
120 g (4 oz) de beurre
500 ml (2 tasses) de lait
1 bouquet de cerfeuil
60 g (2 oz) de croûtons, frits au beurre

Dans une casserole, faire revenir doucement tous les légumes avec le beurre. Ajouter l'eau, saler et poivrer et laisser mijoter pendant 40 à 45 minutes.

Faire bouillir le lait séparément.

Sortir les légumes avec une écumoire et les déposer dans un bol. À l'aide d'un pied-mélangeur, transformer ces légumes en purée. Remettre le bouillon de légumes et le lait bouilli dans la purée. Retourner à ébullition. Vérifier l'assaisonnement. Hors du feu, ajouter le restant de beurre. Bien mélanger.

Verser dans une soupière. Décorer de feuilles de cerfeuil et de croûtons.

BLANQUETTE DE VEAU À L'ANCIENNE

POUR 8 PERSONNES

1,8 kg (4 lb) de veau, en cubes
2 carottes, coupées en cubes
2 oignons, coupés en cubes
1 poireau, coupé en tronçons
2 branches de céleri, coupées en cubes
3 gousses d'ail
1 bouquet garni
2 l (8 tasses) d'eau ou de fond blanc
150 g (5 oz) de champignons, coupés en quartiers
90 g (3 oz) de petits oignons blancs, épluchés et blanchis
60 g (2 oz) de beurre
60 g (2 oz) de farine
125 ml (1/2 tasse) de crème 35 %
2 jaunes d'œuf
Sel et poivre

Déposer les morceaux de viande dans une casserole. Recouvrir d'eau froide à hauteur. Porter à ébullition et laisser bouillir 1 à 2 minutes. Rafraîchir sous l'eau courante. Égoutter les morceaux.

Dans une casserole, rassembler la viande, les carottes, les oignons, le poireau, le céleri, le bouquet garni et l'ail. Ajouter de l'eau ou mieux, du fond blanc jusqu'à hauteur. Saler et porter à ébullition. Cuire doucement à couvert pendant 45 minutes à 1 heure selon la qualité de la viande.

Au terme de la cuisson, retirer la viande à l'aide d'une écumoire. Réserver au chaud. Filtrer le bouillon de cuisson dans une passoire. Faire la sauce en faisant fondre dans une casserole le beurre, ajouter la farine de manière à confectionner un roux. Ajouter 750 ml (3 tasses) de bouillon de cuisson et faire bouillir afin de l'épaissir. Ajouter les champignons et les petits oignons. Laisser frémir quelques minutes. Sortir du feu et lier la sauce en mélangeant séparément la crème et les jaunes d'œuf. Incorporer ce mélange dans la sauce. Ne plus faire bouillir. Vérifier l'assaisonnement. Servir dans un grand plat de service.

CREAM OF CELERY

8 SERVINGS:

450 g (1 lb) celery root, chopped
3 celery stalks, coarsely chopped
1 large onion, chopped
1 1/2 litres (6 cups) water
120 g (4 oz) butter
500 ml (2 cups) milk
1 bunch of chervil
60 g (2 oz) croutons, fried in butter

In a saucepan, heat butter and cook vegetables. Add water. Season with salt and pepper. Simmer for 40 to 45 minutes.

Boil milk separately.

Remove vegetables, using a skimmer and transfer to a bowl. Purée vegetables in a food processor. Add cooking liquid and milk to the purée. Return purée to casserole and bring to a boil. Correct seasoning. Remove from heat and add butter. Mix well.

Serve in a large soup dish. Garnish with chervil and croutons.

VEAL BLANQUETTE

8 SERVINGS:

1,8 kg (4 lb) veal, cut into chunks
2 carrots, cut into cubes
2 onions, cut into cubes
1 leek, sliced
2 celery stalks, cut into cubes
3 garlic cloves
1 herb bouquet
2 litres (8 cups) water or chicken stock
150 g (5 oz) mushrooms, quartered
90 g (3 oz) pearl onions, peeled and blanched
60 g (2 oz) butter
60 g (2 oz) flour
125 ml (1/2 cup) whipping cream
2 egg yolks Salt and pepper

In a large stockpot, place meat and cover with cold water. Bring to a boil and simmer for 1 to 2 minutes. Remove from heat and run cold water over meat. Pat dry.

In a stockpot, combine veal, carrots, onions, leek, celery, herb bouquet and garlic. Add water or better still, chicken stock. Add salt and bring to a boil. Cover and simmer 45 minutes to 1 hour depending on the quality of the meat.

When veal is finished simmering, strain through a colander, catching stock in a bowl. Set aside and keep warm.

Sauce: In a saucepan, melt butter, add flour and blend slowly. Add 750 ml (3 cups) of reserved liquid and bring to a boil to thicken. Add mushrooms and onions. Simmer for a few minutes. Remove from heat.

In a separate bowl, blend cream and egg yolks. Add to sauce. Do not boil. Correct seasoning.

Serve in a large platter.

SAUMON BRAISÉ AUX CREVETTES SAFRANÉES

POUR 4 PERSONNES

4 portions de saumon de 150 g (5 oz) chacune
150 g (5 oz) de crevettes nordiques, décortiquées
30 g (1 oz) de beurre
30 g (1 oz) de farine
1 pincée de safran
Sel et poivre

POUR LE COURT-BOUILLON :

250 ml (1 tasse) de vin blanc
1 oignon, coupé en morceaux
1 carotte, coupée en morceaux
1 bouquet garni
Quelques grains de poivre
Gros sel

Faire le court-bouillon en mettant à bouillir 500 ml (2 tasses) d'eau, le vin blanc, la carotte, l'oignon, le bouquet garni, le poivre et le sel. Laisser frémir 10 minutes.

Cuire le saumon en le plongeant dans le court-bouillon. Le poisson est toujours meilleur moins cuit que trop. Retirer le saumon à la fin de la cuisson et réserver au chaud. Réduire le court-bouillon de moitié.

Dans une autre casserole, faire un roux en mélangeant la farine au beurre fondu. Ajouter le court-bouillon réduit au roux. Porter à ébullition tout en fouettant.

Ajouter le safran dans la sauce et les crevettes. Laisser frémir quelques minutes. Vérifier l'assaisonnement. Servir dans une assiette en nappant le saumon de la sauce aux crevettes safranées.

Ce plat était servi avec des pommes de terre cuites à la vapeur.

SUPRÊME DE POULET ARCHIDUC

POUR 4 PERSONNES

4 poitrines de poulet, de grain de préférence
90 g (3 oz) de beurre
60 ml (4 c. à soupe) d'huile d'olive
125 ml (1/2 tasse) de vin blanc de Bordeaux
60 ml (4 c. à soupe) de whisky
60 ml (4 c. à soupe) de cognac
125 ml (1/2 de tasse) de porto
250 ml (1 tasse) de bouillon de poulet
125 ml (1/2 tasse) de crème 35 %
Sel et poivre

Dans une casserole, chauffer le beurre et l'huile d'olive et faire sauter doucement les poitrines de poulet dans pendant 10 minutes. Assaisonner. Ajouter le vin blanc, le bouillon de poulet et le whisky. Poursuivre la cuisson jusqu'à la réduction de la moitié du liquide.

Ajouter le cognac et le porto. Continuer la cuisson jusqu'à réduire de nouveau de moitié. Ajouter la crème et réduire de nouveau jusqu'à l'obtention de 250 ml (une tasse) de sauce. Vérifier l'assaisonnement.

Ce plat était servi avec un riz à l'indienne.

POIRE POCHÉE – GELÉE DE FRAMBOISE

POUR 8 PERSONNES

8 poires mures (William ou d'Anjou)
240 g (8 oz) de framboises
60 ml (4 c. à soupe) d'alcool de poire William
250 ml (1 tasse) de gelée de framboise

POUR LE SIROP :

450 g (1 lb) de sucre
1/2 l (2 tasses) d'eau
Le zeste d'un citron
60 ml (4 c. à soupe) de sirop de cassis

Faire un sirop en mettant dans une casserole, le sucre, l'eau, le sirop de cassis et les zestes de citron. Porter à ébullition et cuire quelques minutes. Laisser refroidir.

Éplucher les poires, les couper en deux et à l'aide d'une cuillère parisienne, retirer le cœur. Plonger les poires dans le sirop et cuire doucement. Les retirer et égoutter. Réserver.

Dans le sirop de cuisson, ajouter l'alcool de poire William et la gelée de framboise. Fouetter pour bien mélanger.

Dresser la poire dans une assiette et déposer des framboises fraîches en son milieu. Napper de sirop à la gelée de framboise.

BRAISED SALMON WITH SAFFRON SHRIMP

4 SERVINGS:

4 salmon portions of 150 g (5 oz) each
150 g (5 oz) nordic shrimp, shelled
30 g (1 oz) butter
30 g (1 oz) flour
Pinch of saffron
Salt and pepper

COURT BOUILLON:

250 ml (1 cup) white wine
1 onion, chopped
1 carrot, diced
1 herb bouquet
Peppercorns
Coarse salt

Court Bouillon: In a saucepan, combine 500 ml (2 cups) water, white wine, carrot, onion, herb bouquet, peppercorns and coarse salt. Simmer for 10 minutes.

Poach salmon in court-bouillon for a few minutes. Remove salmon, drain and keep warm. Reduce the court bouillon by half.

In another saucepan, melt butter and add flour. Mix well. Add court bouillon. Bring to a boil while whisking constantly.

Add saffron and shrimp to sauce. Simmer for a few minutes. Correct seasoning. Place salmon in a large plate, pour sauce over salmon and serve with steamed potatoes.

CHICKEN SUPREME ARCHDUKE

4 SERVINGS:

4 chicken breasts, preferably grain fed
90 g (3 oz) butter
60 ml (4 tablespoons) olive oil
125 ml (1/2 cup) Bordeaux white wine
60 ml (4 tablespoons) whisky
60 ml (4 tablespoons) cognac
125 ml (1/2 cup) port wine
250 ml (1 cup) chicken stock
125 ml (1/2 cup) whipping cream
Salt and pepper

In a skillet, heat butter and olive oil and sauté chicken breasts for 10 minutes. Season. Add white wine, chicken stock and whisky. Cook until liquid is reduced by half.

Add cognac and port wine. Cook until liquid is reduced by half again. Add cream and reduce to obtain 250 ml (1 cup) of sauce. Correct seasoning. This meal was traditionally served with Indian rice.

POACHED PEARS – RASPBERRY JELLY

8 SERVINGS:

8 ripe pears (William or Anjou)
240 g (8 oz) raspberries
60 ml (4 tablespoons) Poire William liqueur
250 ml (1 cup) raspberry jelly

SYRUP:

450 g (1 lb) sugar
1/2 litre (2 cups) water
Zest of one lemon
60 ml (4 tablespoons) black currant syrup

Syrup: In a saucepan, mix sugar, water, black currant syrup and lemon zest. Bring to a boil and cook a few minutes. Remove and set aside.

Peel pears, cut in half and remove core. Plunge pears in syrup and simmer slowly. Remove pears and set aside.

In syrup, add the Poire William liqueur and raspberry jelly. Mix well.

Transfer pears to a serving plate and garnish with fresh raspberries. Drizzle syrup over pears.

L'arrivée des premiers Britanniques

L'année 1759 marqua le commencement de la fin pour les Français au Canada. La défaite de Montcalm devant Wolfe à Québec le 18 septembre et la capitulation de Montréal, un an presque jour pour jour après celle de Québec, provoqua la reddition de toute la colonie et l'occupation par l'armée britannique jusqu'en 1764. La cession du Canada à la Grande-Bretagne est officialisée par le traité de Paris en 1763. La Nouvelle-France, qui deviendra le Bas-Canada suite à l'Acte constitutionnel de 1791, se trouvera sous la gouverne de la Grande-Bretagne en attendant le dénouement de la Guerre de Sept Ans en Europe. La France, finalement vaincue, concèdera alors la Louisiane à l'Espagne, et laissera du même coup la Nouvelle-France aux mains de la Couronne britannique.

La Nouvelle-France comptait alors moins de 100 000 habitants qui avaient vécu jusque-là, dans un contexte de relatif isolement. L'arrivée des Britanniques, bien que perçue sous un jour défavorable par les colons français leur permet néanmoins de faire commerce avec l'Empire britannique et avec les colonies américaines (chose qui leur était interdite sous l'ancien régime). Les colons trouvent des débouchés pour leurs produits, les techniques agricoles s'améliorent également avec les équipements plus sophistiqués qu'utilisent les Anglais (meilleurs engrais, rotation des cultures, amélioration du bétail par croisement, etc.).

L'arrivée des Britanniques en terre canadienne ajoute à la multiplicité des traditions culinaires qui forme notre patrimoine gourmand. Son influence est celle d'une cuisine plus austère avec des traditions bourgeoises et des mœurs de table beaucoup plus structurées. Les traditions médiévales sont encore vivantes dans la cuisine britannique lors du changement de régime. Les sauces style « gravy » sont bien présentes. Les épices utilisées au Moyen Âge sont encore en usage : il s'agit du paprika, du poivre de Cayenne, du gingembre, de la cannelle, du safran, du macis et du verjus, un liquide acide qui vous emporte la bouche, généralement fait avec du jus de raisins verts, parfois fermenté, mais pas toujours car il peut être aussi fait avec du jus de pommes sauvages.

Les techniques de cuisson de base, soit le rôti et le bouilli, n'ont pas évolué. Pourtant la cuisine française est connue en Angleterre à travers les premiers traités culinaires, mais aussi par l'émigration de cuisiniers français. Suite à la révocation par Louis XIV de l'édit de Nantes en 1685, la communauté protestante française se voit contrainte de choisir entre la conversion au catholicisme ou l'émigration pure et simple. Un grand nombre de familles furent obligées de quitter le sol français natal pour rejoindre, entre autre, l'Angleterre et ses colonies américaines. Parmi eux, se trouvent beaucoup d'artisans extrêmement habiles dont des cuisiniers. Ainsi pour les premiers Anglais et les émigrants écossais, la cuisine de Québec, sans être complètement inconnue, n'en demeure pas moins étrangère. On assiste cependant à une réaction francophobe. La cuisine française, ses goûts différents, l'extravagances de ses mets, de même que ses habitudes de table exubérantes font globalement partie de ce rejet.

Cotisations seigneuriales

The Arrival of the First English Contingent

Seigneurial Dues

The year 1759 signalled the beginning of the end for the French in Canada. General Wolfe defeated Montcalm in Quebec on September 18. One year later, to a day, Montreal capitulated, thus bringing about the surrender of the entire colony to the British army and its further occupation of the colony until 1764. The Treaty of Paris, in 1763, ceded Canada to Great-Britain. Nouvelle-France became Lower Canada further to the Constitutional Act of 1791; it remained under Great-Britain's authority while awaiting the end of the seven-year war in Europe. France was finally defeated and ceded Louisiana to Spain; by the same token, it surrendered Nouvelle-France to the British.

At that time, the 100,000 inhabitants of Nouvelle-France had led a relatively sheltered existence. French colonists viewed the arrival of the British with pessimism; but this new way of life allowed them to trade with the British Empire as well as with American colonies – a pursuit that had been vetoed under the former regime. Colonists discovered potential business opportunities, and farming techniques began to progress with the advent of more sophisticated implements such as those used by the English (better fertilizers, crop rotation, improvement of livestock by way of cross-breeding, etc.).

With the arrival of the British on Canadian soil, the culinary traditions of a dynamic gastronomic heritage flourished. However, the British influence brought about a more simple cuisine of bourgeois ancestry combined with highly structured nutritional customs. British cooking retained its medieval traditions at the time of regime changeover. Gravy was ever-present. Spices from the Middle Ages also remained, namely paprika, cayenne pepper, ginger, cinnamon, saffron, mace and verjuice, an acid-based juice with a strong after-taste, made, sometimes, but not always, with the juice of unfermented green grapes, but occasionally with the juice of wild apples.

Basic cooking methods, specifically roasting or boiling, had not yet evolved although French cuisine was well known in England at that time as a result of the first culinary articles and the immigration of French chefs. Following rescinding of the Edict of Nantes by Louis XIV in 1685, the French protestant community was compelled to choose between conversion to Catholicism or emigration. Many families were forced to leave their homeland to travel to England or to one of its American colonies. Among them were many exceptionally talented artisans, notably, some chefs. Thus, Quebec cooking methods, while not completely unknown to the first British and Scottish immigrants, did nevertheless remain unusual to them. In contrast, francophones in Quebec began to react differently to all things French. They began to scorn the food, the singular flavours as well as the table manners. Despite this critical attitude, the establishment of the English Regime did not signify a blatant disdain for the French lifestyle or the end of sumptuous meals. A number of governors such as Haldimand, Carleton, Murray, Prescot and Craig insisted on the presence of French chefs in their kitchens. Some chefs, namely Petit, Maillet and Lemoine went on to open their own restaurants following years at a governor's or a

Malgré ça, le Régime anglais ne signe pas pour autant l'arrêt de mort du style de vie à la française et des repas fastueux. Les gouverneurs anglais comme Haldimand, Carleton, Murray, Prescot ou Craig s'entourent de cuisiniers français. Certains d'entre eux, tel Petit, Maillet ou Lemoine, après avoir servi chez les gouverneurs ou les évêques, ouvrent leurs restaurants, qui deviennent très courus et prospères. C'est ainsi que l'on fera de grandes réceptions et que l'on servira des repas grandioses au Château St-Louis, particulièrement pour fêter la défaite américaine devant Québec en 1775, ou bien l'anniversaire de la reine en 1787.

Les premiers Britanniques entreprennent donc de s'approvisionner en ingrédients propres à leur tradition culinaire. On voit alors arriver des produits qui prendront une grande importance dans la cuisine québécoise et canadienne, tels que le sucre[18], la dinde et, bien entendu, le thé[19]. Dans les garde-manger impériaux on trouve du bœuf et du lard salé d'Irlande, de l'orge de l'Écosse, du fromage du Cheshire, du jambon du Yorkshire, des cornichons gherkins, de la moutarde Durham, du ketchup et de la sauce de soya. Même si parfois on boude le vin français, le vin des Îles Canaries, le Madère ou le Porto prennent le relais. Ces nouveaux produits ont pris, avec le temps, une grande importance dans la cuisine canadienne-française. Aujourd'hui, les *roast beef*, le cheddar et le thé, sont des mets et produits que nous consommons sur une base régulière.

Les Britanniques ont une vie sociale plus active que les Français. Ils vont manger à l'extérieur et on les voit souvent se réunir dans les cafés, les tavernes ou « chop houses » de la ville. Ils ne tardent pas à insuffler une saveur typiquement « British » aux auberges et aux cabarets déjà existants. Les menus se modifient et on peut désormais manger dans différents endroits de la ville une soupe à la tortue, des « beef steaks », « mutton chops » et « cold relishes ». Les plus fréquentés à Québec sont le Café des marchands rue Saint-Pierre dans la Basse-Ville[20], Franks dans la Haute-Ville ou l'Hôtel des Francs-Maçons, rue Buade et l'Hôtel Menut, rue Saint-Jean. Car la bonne chère constitue une préoccupation constante des bourgeois et aristocrates anglais du Canada.

Les marchands prospères et les hauts fonctionnaires se retrouvent en clubs privés pour festoyer et abuser des plaisirs de la table. Quant aux militaires, ils se rassemblent dans leur mess comme celui aménagé dans la redoute Dauphine, à l'intérieur de la vieille ville.

Mentionnons quelques ouvrages que les nouveaux arrivants apportent dans leurs bagages. Le plus en vogue au milieu du XVIIIe siècle est celui de Hannah Glasse « The Art of Cookery Made Plain and Easy » (1747) qui sera publié pendant près de 100 ans[21]. Et vers le début du XIXe siècle : « The Complete Confectioner » de Maria Rundell qui connaîtra un succès à la grandeur du continent américain. Ces ouvrages écrits par des femmes s'adressent davantage aux dames de la bourgeoisie ou aux ménagères ainsi que leurs domestiques et constituent une nouveauté puisque jusqu'alors les ouvrages de cuisine étaient l'apanage des hommes.

FAIT HISTORIQUE

[18] On commence à raffiner le sucre au Canada vers le milieu du XIXe siècle, dans l'ouest du pays et à Montréal. Cette production permettra le développement de l'industrie agroalimentaire du pays.

[19] Le thé est alors importé par les colonies britanniques à l'ouest du continent américain pour être ensuite transporté jusque sur la côte est. Ce commerce favorisera, entre autre, le développement du réseau ferroviaire transcanadien.

[20] En 1791, on y fête l'entrée en vigueur de la nouvelle Constitution. On arrose l'événement au Café des marchands, à la Basse-Ville, sous la présidence de George Alsopp. L'atmosphère semble plus gaie et l'imagination de l'assistance porte le nombre de toasts à 36! On souhaite longue vie au roi, à la famille royale et aux autorités gouvernementales, mais aussi « des jours d'aisance et des nuits de plaisir sous la nouvelle Constitution ».

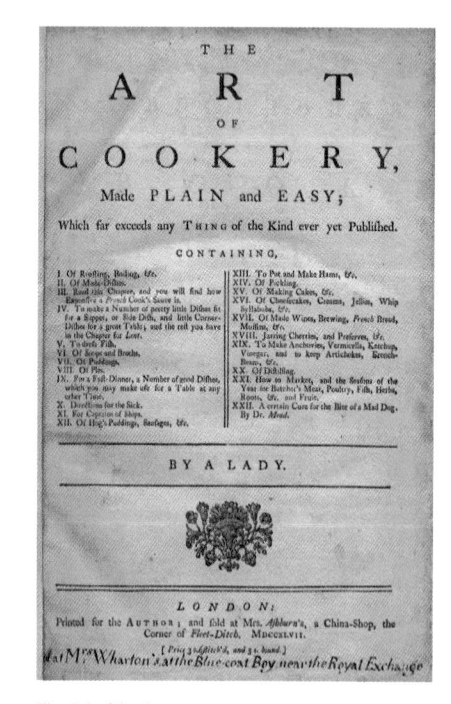

THE
ART
OF
COOKERY,
Made PLAIN and EASY;
Which far exceeds any THING of the Kind ever yet Published.

CONTAINING,

I. Of Roasting, Boiling, &c.
II. Of Made-Dishes.
III. Read this Chapter, and you will find how Expensive a *French* Cook's Sauce is.
IV. To make a Number of pretty little Dishes fit for a Supper, or Side Dish, and little Corner-Dishes for a great Table; and the rest you have in the Chapter for *Lent*.
V. To dress Fish.
VI. Of Soups and Broths.
VII. Of Puddings.
VIII. Of Pies.
IX. For a Fast-Dinner, a Number of good Dishes, which you may make use for a Table at any other Time.
X. Directions for the Sick.
XI. For Captains of Ships.
XII. Of Hog's Puddings, Sausages, &c.
XIII. To Pot and Make Hams, &c.
XIV. Of Pickling.
XV. Of Making Cakes, &c.
XVI. Of Cheesecakes, Creams, Jellies, Whip Syllabubs, &c.
XVII. Of Made Wines, Brewing, *French* Bread, Muffins, &c.
XVIII. Jarring Cherries, and Preserves, &c.
XIX. To Make Anchovies, Vermicella, Ketchup, Vinegar, and to keep Artichokes, French-Beans, &c.
XX. Of Distilling.
XXI. How to Market, and the Seasons of the Year for Butcher's Meat, Poultry, Fish, Herbs, Roots, &c. and Fruit.
XXII. A certain Cure for the Bite of a Mad Dog. By Dr. *Mead*.

BY A LADY.

LONDON:
Printed for the AUTHOR; and sold at Mrs. *Ashburn's*, a China-Shop, the Corner of *Fleet-Ditch*. MDCCXLVII.
[Price 3 s. stitch'd, and 5 s. bound.]
at Mrs. Wharton's at the Blue-coat Boy near the Royal Exchange

The Art of Cookery
The Art of Cookery

COMMENTAIRE
[21] De cette édition, moins de quinze copies ont subsisté.

bishop's manor, and enjoyed a lucrative and successful life. And grand banquets and feasts were served at the Château St-Louis to celebrate momentous events and occasions such as the American defeat in Quebec in 1775 or the anniversary of Her Majesty the Queen in 1787.

The first British colonists thus undertook to fill their larders with provisions that reflected their culinary traditions. The advent of a wide range of food items such as sugar[18], turkey, and tea[19], of course, soon became paramount in Canadian and Quebec kitchens. The well-to-do stocked beef and salt pork imported from Ireland, barley from Scotland, cheese from County Cheshire, Yorkshire ham, along with gherkins, Durham mustard, ketchup and soy sauce. And though they looked down their noses at French wine, they imported wine from the Canary Islands, or they opted for Madeira and Port instead.

This selection of new products, in time, began to play a significant role in French-Canadian cuisine. Roast beef, cheddar cheese and tea regularly appear on our tables.

The British led a more active social life than their French counterparts. They patronized restaurants, and visited cafés, taverns or chop houses throughout the city. In no time, they began to set a "British" ambience in social spots such as inns and nightclubs. Soon, menus were modified and one might enjoy turtle soup, beef steak, mutton chops and cold relish in various establishments around Quebec. The *Café des marchands*, on rue St-Pierre in *Basse-Ville*[20], Franks, in *Haute-Ville* or the Freemassons Hotel, on rue Buade and Hotel *Menut* on rue St-Jean were but a few of the most famous dining houses as good food remained an overriding concern of the English well-to-do and aristocrats alike in Canada.

Prosperous merchants and senior officials often assembled at private clubs to eat and make merry. As for the military set, they socialized in their mess halls such as the quarters established in the Dauphine redoubt inside the walls of the old city.

In passing, it might be of interest to cite a few literary titles that new colonists brought with them from England. "The Art of Cookery Made Plain and Easy» written by Hannah Glasse in 1747 was certainly the most popular reference during the middle of the XVIIIth century. The book remained in print for close to 100 years[21]. Early in the XIXth century, Maria Rundell wrote "The Complete Confectioner" that enjoyed an enormous success across the entire American continent. Both works appealed to ladies of the upper class or housewives and their domestic staff.

HISTORIC FACT RECORDED

[18] *In Canada, we began to refine sugar towards the middle of the XIXth century in both Western Canada and in Montreal. This manufacturing practice opened the door to the growth of the agroprocessing business in the country.*

[19] *"British colonies imported their tea from points west of the American continent. It was then shipped eastwards. This commercial endeavour, as well as others, spurred construction of the trans-Canada railway system."*

[20] *"The year 1791 marks the coming into force of the new Constitution. This event is cause for celebration and George Alsopp presides over the festivities at the Café des marchands in the Basse-Ville. The atmosphere is quite merry and the patrons' imagination raises to 36 the number of toasts! People wish long life to the King, to the royal family and to the governing authorities. They also express the wish for days of leisure and nights of pleasure under this new Constitution."*

Comment

[21] Fewer than 15 copies of this publication remain today.

WELSH RAREBIT

POUR 4 PERSONNES

4 tranches de pain
60 ml (4 c. à soupe) d'huile
300 g (10 oz) de cheddar fort, râpé
90 g (3 oz) de beurre
250 ml (1 tasse) de bière
2 œufs
Poivre de Cayenne et sel

Dans une poêle, chauffer l'huile et faire dorer le pain des deux côtés. Dans une casserole, faire fondre le beurre à feu doux et ajouter le fromage râpé et la moitié de la bière. Remuer avec une cuillère de bois jusqu'à ce que le mélange devienne bien lisse et nappe la cuillère.

Hors du feu, incorporer les œufs un à un en fouettant énergiquement jusqu'à l'obtention d'un mélange homogène. Assaisonner et retourner sur le feu en incorporant le reste de la bière.

Disposer les tranches de pain sur une plaque allant au four. Napper chaque tranche avec la préparation et enfourner 10 minutes environ dans un four à 180 °C (350 °F) jusqu'à ce que le fromage commence à dorer.

Le Welsh rarebit est généralement accompagné d'une salade.

CURRY D'AGNEAU

POUR 4 PERSONNES

450 g (1 lb) d'épaule d'agneau, coupée en morceaux
60 ml (4 c. à soupe) d'huile d'olive
60 g (2 oz) de bacon, coupé en dés
60 g (2 oz) d'oignons, hachés
15 g (1/2 oz) de farine
15 g (1/2 oz) de curry
500 ml (2 tasses) de fond d'agneau ou à défaut un fond de veau
2 gousses d'ail, écrasées
Gingembre, râpé (au goût)
1 pomme, râpée
Le jus d'un demi-citron
Sel et poivre de Cayenne

Dans une cocotte, chauffer l'huile d'olive, faire revenir les morceaux d'agneau et le bacon. Puis ajouter les oignons et laisser cuire quelques minutes.

Ajouter la farine et le curry et bien les mélanger. Mouiller avec le fond et ajouter l'ail écrasé, le gingembre, la pomme râpée et le jus de citron. Saler et poivrer. Laisser cuire doucement pendant environ 1 h 30. Rajouter du bouillon au besoin. En fin de cuisson, vérifier l'assaisonnement.

Ce plat se sert habituellement avec un riz.

WELSH RAREBIT

4 SERVINGS:

4 slices of bread
60 ml (4 tablespoons) oil
300 g (10 oz) cheddar cheese, grated
90 g (3 oz) butter
250 ml (1 cup) beer
2 eggs
Cayenne
Salt and pepper

In a skillet, heat oil and brown bread on both sides. In a saucepan, melt butter at low heat and add grated cheese and half the beer. Using a wooden spoon, mix until mixture is smooth and covers the spoon.

Remove from heat and incorporate eggs one at a time, whisking energetically to obtain a smooth mixture. Season. Return to heat and add rest of beer.

Place bread slices on a cooking sheet. Pour mixture on each bread slice and cook in a preheated oven at 180 °C (350 °F) until cheese starts to brown.

Serve with a tossed green salad.

LAMB CURRY

4 SERVINGS:

450 g (1 lb) shoulder of lamb, cut into chunks
60 ml (4 tablespoons) olive oil
60 g (2 oz) bacon, cut into cubes
60 g (2 oz) onion, chopped
15 g (1/2 oz) flour
15 g (1/2 oz) curry powder
500 ml (2 cups) lamb or veal stock
2 garlic cloves, crushed
Fresh ginger (to taste), grated
1 apple, grated
Juice of half a lemon
Salt and cayenne pepper

In a large Dutch oven, heat olive oil and brown each piece of lamb and the bacon. Add onions and cook for a few minutes.

Add flour and curry. Add stock, garlic, ginger, grated apple and lemon juice. Season with salt and pepper. Bring to a simmer, cover and cook for 1 hour 30 minutes. Add stock if necessary. Correct seasoning.

Traditionally, this meal was served with rice.

CHICKEN PIE

POUR 8 PERSONNES

POUR LA PÂTE :

300 g (10 oz) de farine
120 g (4 oz) de beurre
Une pincée de sel

POUR LA GARNITURE :

1 poulet de 1,125 kg (2 1/2 lb), dépecé et coupé en dés
90 g (3 oz) d'échalotes, hachées
15 g (1/2 oz) de persil, haché
6 saucisses de porc, coupées en rondelles
180 g (6 oz) de champignons, hachés
3 œufs, cuits dur et coupés en rondelles
250 ml (1 tasse) de bouillon de poulet
1 jaune d'œuf pour la dorure
Sel et poivre

Préparer la pâte en mélangeant dans un bol, la farine, une pincée de sel et le beurre. Ajouter de l'eau froide afin d'obtenir une pâte homogène. Faire une boule, l'envelopper dans une pellicule plastique et la laisser reposer au réfrigérateur pendant 2 heures.

Préparer la garniture en mélangeant dans un bol, le poulet, les échalotes, le persil et les saucisses. Saler et poivrer.

Dans un plat profond, disposer par couches successives, la moitié de la garniture, puis la moitié des champignons et la moitié des rondelles d'œuf. Recommencer l'opération une fois. Verser le bouillon sur le tout.

Dans un bol, mélanger un peu d'eau au jaune d'œuf. À l'aide d'un pinceau, badigeonner le tour du plat de ce mélange. Étendre la pâte à l'aide d'un rouleau et la déposer sur le plat. Presser tout autour afin de bien sceller les rebords. Étendre le reste de la dorure sur le dessus de la pâte. Enfourner pendant 1 h 30 à 190 °F (375 °C). Sortir du four et servir aussitôt.

SOUFFLÉ PUDDING À L'ORANGE

POUR 4 PERSONNES

750 ml (3 tasses) de lait
60 g (2 oz) de beurre, fondu
2 oranges
90 g (3 oz) de farine
120 g (4 oz) de sucre
6 œufs

Faire des zestes avec les deux oranges. Les conserver. Peler ces deux oranges à vif et couper la chair en petits dés. Réserver.

Dans une casserole, porter le lait à ébullition. Séparer les jaunes des blancs d'œuf. Dans un bol, mélanger les jaunes avec le sucre à l'aide d'un fouet. Ajouter la farine et bien mélanger. Ajouter le beurre fondu, en prenant soin d'en conserver un peu, afin de badigeonner un moule à soufflé. Ajouter le lait chaud, les dés et les zestes d'orange. Bien mélanger. Retourner sur le feu et porter à ébullition sans cesser de mélanger. Sortir du feu et laisser refroidir.

Dans un bol, monter les blancs d'œufs bien fermes. Mélanger les blancs au mélange en prenant bien soin de plier les deux matières soigneusement.

Mettre le tout dans le moule à soufflé préalablement beurré. Le mélange ne doit pas dépasser les trois quarts du moule. Enfourner à 190 °C (375 °F) pendant environ 30 minutes. Servir aussitôt. Le soufflé ne peut attendre sinon il retomberait.

CHICKEN PIE

8 SERVINGS:

FOR THE CRUST:

300 g (10 oz) flour
120 g (4 oz) butter
1 pinch of salt

FILLING:

1 chicken 1,125 kg (2 1/2 lb), cut into pieces
90 g (3 oz) shallots, minced
15 g (1/2 oz) chopped parsley
6 pork sausages, sliced
180 g (6 oz) mushrooms, minced
3 hard-boiled eggs, sliced
250 ml (1 cup) chicken stock
1 egg yolk to glaze
Salt and pepper

Crust: In a bowl, mix flour, a pinch of salt and butter. Add cold water and knead until dough is soft. Gently press dough into a ball, wrap in plastic wrap and refrigerate for 2 hours.

Filling: In a bowl, blend chicken, shallots, parsley and sausage. Season with salt and pepper.

In a casserole dish, place half the filling, cover with half of the mushrooms and half the egg slices. Repeat each operation. Pour chicken stock over mixture to cover completely.

Roll out dough and place over chicken casserole. Press to seal dough at edges of chicken pie.

In a bowl, add a bit of water to egg yolk. Brush this preparation over casserole crust to glaze. Bake in a preheated oven for 1 hour 30 minutes at 190 °F (375 °C). Remove from oven and serve immediately.

ORANGE PUDDING SOUFFLÉ

4 SERVINGS:

750 ml (3 cups) milk
60 g (2 oz) melted butter
2 oranges
90 g (3 oz) flour
120 g (4 oz) sugar
6 eggs

Coat the inside of a deep baking dish with a little butter.

Remove zest from oranges. Set aside. Peel oranges completely and cut flesh into small cubes. Set aside.

In a saucepan, bring milk to a boil. Separate yolks from whites. In a bowl, whisk yolks with sugar. Add flour and mix well. Add melted butter, warm milk and orange zest and cubed oranges. Mix well. Return to heat and bring to a boil, whisking constantly. Remove from heat and let cool.

In a bowl, beat egg whites until firm. Add to mixture by gently folding the egg whites into the heavier mixture.

Immediately pour mixture into baking dish. The mixture must not reach more than three quarters of the dish. Cook for 30 minutes in a preheated oven at 190 °C (375 °F). Serve immediately. Serve the soufflé at once, otherwise it will rapidly deflate.

LE XIXe SIÈCLE
La cuisine anglaise

Au XIXe siècle, il s'instaure un curieux jeu de transactions culinaires entre la France et l'Angleterre. La première, en naturalisant «le potage à la tortue, le bifteck, le rosbif, le plum-pudding». Et la seconde, en se mettant à l'école de la cuisine française, en s'épongeant le bec dans des serviettes de table et en affublant ses plats de noms français. En 1813, l'ancien chef cuisinier de Louis XVI, Mr Hude, passé en Angleterre après la Révolution, affirme que «chez un bon cuisinier, qu'il soit français ou anglais, le menu s'écrit toujours en français... fin de citation».

Pendant la première moitié de ce siècle, les tavernes et les cafés à l'anglaise se multiplient. Ces établissements n'ont d'ailleurs souvent rien d'un café à proprement parler. Rien qui soit tape-à-l'œil en tout cas. On mise sur la sobriété et les plats chaleureusement préparés. Les clients peuvent alors trouver à toute heure de la journée de quoi se nourrir. On imite le modèle anglais du «chop house» et les menus proposent des spécialités de viandes à la broche, des grillades et des soupes et, entre autre, la fameuse soupe à la tortue. Véritable ou non, il s'agit d'un plat typiquement anglais très populaire. Sa préparation est longue, complexe et coûteuse. C'est pourquoi les restaurateurs lui préfèrent une variante dite «Fantaisie» qui, elle, est faite à base de veau et parfois d'esturgeon On en retrouve d'ailleurs une recette dans *La cuisinière canadienne* de L. Perrault, datant de 1840[22]. J.H. Isaacson, tout juste arrivé de Londres, propose dans son «Dolly's Chop House» sa Barclay & Perkin's Stout, une bière forte en fût et ses steaks de bison. En 1837 le Hanley's Commercial Inn à Québec, propose des spécialités telles que les pâtés au mouton, les huîtres, et la soupe à l'esturgeon. Le «coffee room» de Hannah Hays, toujours à Québec, se distingue par ses pâtisseries et ses confiseries. Le Neptune Inn attire sa clientèle marchande et maritime avec son «coffee room» dans lequel il propose journaux, listes maritimes et gazettes de prix. Et comme les États-Unis ne sont pas loin, on voit arriver les premières fontaines de boissons gazéifiées dont le soda[23] et le «magnesia water», vanté pour ses vertus sur la santé.[24]

Commentaires
[23-24] Voir en page 64

James A. Quinn ainsi qu'un étal à légumes en avant-plan, Québec, 1860

[22] Recette de soupe à la tortue
FANTAISIE

Une tête de veau sciée en deux; enlevez les yeux et la cervelle; faites bouillir la tête avec les pieds dans deux gallons d'eau.

Lorsqu'ils seront presque cuits, hachez la viande par petits morceaux; jettez la cervelle dans le jus coulé de la tête et des pieds, ce qui l'épaissira.

Ajoutez de l'ognon fris dans du saindoux; avec un peu de farine et de sucre roti, pour colorer.

Jettez deux verres à patte de bon vin dedans, avec tête de clous, sel, poivre, marjolaine, sarriette, persil, thym à votre goût.

On peut aussi y faire entrer 4 oeufs cuits durs et coupés. Faites ensuite bouillir le tout durant une demie heure.

On met aussi un morceau de jarret de boeuf dans le bouillon pour donner plus de substance à ce dernier.

James A. Quinn with a vegetable stand in the forefront, Quebec, 1860

THE XIXth CENTURY
English Cuisine

The XIXth century witnessed an unusual culinary contest taking shape between France and England. The former adopted *potage à la tortue, bifteck, rostbif* and *plum-pudding.* The latter espoused French cuisine, began wiping their lips clean with their table napkins, and dubbed their dishes with French titles. In 1813, Mr. Hude, former chef of King Louis XVI, while travelling through England following the Revolution, had this to say: "for good chefs, be they French or English, the menu is always in French." The final word!

In the first half of the XIXth century, taverns and English coffee houses began to proliferate in Quebec. In fact, these cafés had little or no resemblance to a café in the pure sense of the word; nothing that was eye-catching, at any rate. Traditional fare was simply prepared with care and kindness; patrons could enjoy a meal any time of day.

A replica of the English chop house also emerged; menus featured house specialties such as skewered or grilled meat, soups and of course, the infamous turtle soup, which was, in fact, a typical and highly popular English dish. A true turtle soup does exist as does a "mock" turtle soup made with veal stock. *La cuisinière canadienne* dating back to 1840 [22], and written by L. Perreaut, gave a fully detailed recipe. When J. H. Isaacson set foot on Quebec soil, he opened Dolly's Chop House and served his very own Barclay & Perkin's Stout Ale to complement his bison steak. In 1837, Hanley's Commercial Inn offered a menu that comprised mutton patties, oysters, and sturgeon soup while the Hannah Hays coffee room, also in Quebec, did good business indeed with its choice pastries and assorted sweetmeats. The Neptune Inn, attracted mostly merchants and sailors at its coffee room where clients were able to consult newspapers, its maritime lists and its price gazettes. Not surprisingly, as the United-States was close by, people began to witness the arrival of the first carbonated fountain beverages, namely soda[23] and "magnesia water" whose health properties had achieved wide acclaim.[24]

[22] Recipe for Mock Turtle Soup

Cut a calf's head in two; remove the eyes and the brain; do not discard brain; boil the calf's head along with its hooves in two gallons of water. When the meat is almost done, remove the head and the hooves; chop the meat into small pieces; put the brain back into the broth, this will help thicken the sauce.

To this, add onions fried in lard as well as a small amount of flour and roasted sugar for colour. Pour in two hearty glasses of good wine into the mixture, with cloves, salt, pepper, marjoram, savory, parsley, thyme to taste. You may also add 4 hard-boiled eggs, cut into pieces. Boil the soup mixture for 30 minutes. A beef shank added to the soup helps to thicken the broth.

COMMENTS

[23-24] Refer to page 65

Au cours de la deuxième moitié du siècle, l'usage du mot restaurant fait son apparition et le terme apparaît à la façade des établissements où l'on offre un bouillon aux qualités réparatrices. Ces commerces ont pour nouvelle caractéristique de mettre l'accent sur les qualités de leurs cuisiniers[25]. Si ces institutions gagnent en popularité, c'est grâce à la disponibilité, à la bonne volonté et à la transmission de l'expertise des grands cuisiniers de l'ancien régime, à la disparition des restrictions corporatives, ainsi qu'à la croissance de la petite bourgeoisie marchande, qui en sera la principale clientèle. Pour exemple, le restaurant Reynolds, tout en faisant office de « chop house », décline un menu beaucoup plus élaboré, emprunté à la cuisine française, où l'on retrouve une mayonnaise de homard, différentes variétés de galantines (une charcuterie enrobée de gelée), ainsi qu'une charlotte russe (ce fameux dessert à la crème bavaroise et aux doigts de dames inventé par le cuisinier français Marie Antoine Carême en l'honneur du tsar de Russie).

Les premiers clubs privés voient le jour et nous pouvons apprécier, en consultant le menu du « Driving Club », ce que c'était que de manger à l'anglaise à Québec vers 1830. Ce club propose à ses membres deux services seulement, mais quels services ! Le premier se compose de trois soupes : une « au gravy », une au lièvre et une aux abats ; viennent ensuite quatre plats de viandes rôties (chevreuil, bœuf, dinde et volaille), une ronde de bœuf, trois pâtés à la viande et un aux huîtres, deux grillades, et trois plats en sauce (un hachis, une fricassée et un curry). On peut penser que tout n'était pas servi en même temps, néanmoins on comprend qu'il ne s'agissait pas là d'un menu pour un tête-à-tête. Dans le cas présent il fallait regrouper un minimum de 20 personnes autour de la table. Le deuxième service, quant à lui, se résumait en gelées, blanc-manger, tartelettes, pâtisseries, dont un « mince pie »[26], et fruits en compote.

Les voyages sur le Saint-Laurent sont aussi très fréquentés. On navigue à bord des « vapeurs » entre Québec et Montréal. La ligne propose une cuisine typiquement anglaise qui n'est pas sans rappeler les bons hôtels de Londres. Le premier service se compose de potages à la queue de bœuf, aux rognons ou au veau. Les viandes rôties (rosbif et Yorkshire pudding, rôti de porc et sauce aux pommes, rôti de dinde ou d'oie farcie) et bouillies (corned beef, mouton aux câpres, canard et macaroni, veau). Curieusement, les entrées sont servies après le plat de résistance dans le style anglais (poulet au cari, steak et kidney pie, pigeons grillés, côtelette de mouton et petits pois et « toad in a hole ») contrairement au style français qu'adoptent habituellement les hôtels.

Vue de Québec depuis la porte Prescott, 1860

FAIT HISTORIQUE

[23] Le soda est une invention du Britannique Joseph Preistley que l'on date à 1777. L'apparition du terme « soda » dans la langue courante remonte quant à elle à l'an 1798. Il faudra attendre jusqu'à 1832 l'invention de la première fontaine à soda automatique par l'Américain John Matthews. En 1886 John Styth Pemberton un pharmacien d'Atlanta en Georgie invente une nouveau breuvage à base de sirop désaltérant. Il s'agit d'un mélange d'extrait de noix de kola, de sucre, de caféine, de feuilles de coca et d'extraits végétaux. Un serveur a l'idée de diluer le sirop avec de l'eau gazeuse : le Coca-Cola était né.

Commentaires

[24] Lafrance Marc et Desloges Yvon, **Goûter à l'histoire**. Les éditions de la Chenelière (1989). Extraits tirés des pages 85 à 87.

[25] Au 18e siècle, le terme restaurant était employé pour qualifier un bouillon de viande aux qualités réparatrices. Les établissements qui en faisait le commerce étaient appelés des « maisons de santé » ou « restaurants ».

[26] Le mince pie, aussi appelé mincemeat pie, est une pâtisserie traditionnelle britannique aux fruits séchés, aux noix et aux épices arrosées avec un peu de brandy ou de rhum que l'on sert principalement durant le temps des fêtes. Dans le folklore britannique, ce ne sont pas des biscuits qui sont laissés pour le Père Noël près de la cheminée, mais ces petites tartelettes sucrées !

View of Quebec from Prescott door, 1860

HISTORIC FACT RECORDED

[23] Soda was invented by Joseph Preistley in 1777. The word "soda" became more commonly used in 1798 though the automatic soda fountain itself only came into being some time later, in 1832. We owe its existence to American inventor John Matthews. In 1886, an Atlanta, Georgia pharmacist by the name of John Styth Pemberton invented a new refreshing syrup beverage; it consisted of a combination of kola nut extract, sugar, caffeine, coca leaves and vegetable extracts. A waiter had a brilliant idea: he diluted this syrup mixture into carbonated water, thus Coca-Cola was born.

Throughout the second half of the century, the word restaurant was used more and more widely. It appeared on the main façade of eating establishments where one could enjoy a savoury, healthy broth. In all these establishments, the accent is on the attributes of their chefs[25]. They owe their popularity to eminent chefs of the former regime, their candidness, their helpfulness, and their willingness to share their expertise. Also, guild restrictions were eliminated by the commercially-oriented bourgeoisie who became the restaurants' main clientele.

For example, Reynolds' restaurant, in its role as a chop house, offered an elaborate menu – largely borrowed from French cuisine – that featured lobster mayonnaise, assorted jellied cold meats, and a charlotte russe (a savoury cold custard dessert of Bavarian cream set in a mold lined with ladyfingers; it is said to have been the creation of French chef Marie Antoine Carême in honour of the Tsar of Russia.

The XIXth century also saw the establishment of the first private clubs. A glance at the "Driving Club" menu gives us better insight into the eating habits of the English in Quebec City circa 1830. The Club offers its members two settings, and what settings at that! The first offered a choice of three soups: "gravy" soup, hare soup and giblet soup; following these, they propose four roast meat dishes, namely, deer, beef, turkey and poultry followed by a round of beef, three meat pâtés and an oyster pie, two grilled meats, and finally three sauce dishes: a hash, a fricassee, and a curry dish. If rules of etiquette were to be followed, these dishes were surely not all served at once. And in all probability, this menu was not intended for an intimate dinner for two. In this instance, the meal was created to serve for no fewer than 20 persons. As for the second setting, it consisted of jellies, blanc-mange, tarts, pastries, including a mincemeat pie[26] as well as fruit compote.

Boat cruises on the St. Lawrence became quite the trend. Steamboats travelled along the River between Quebec and Montreal. Along the way, meals were typical English fare reminiscent of those served in the best London hotels. The first setting comprised oxtail or kidney soup and veal broth followed by a choice of roasted meats such as roast beef and Yorkshire pudding, roast pork with apple sauce, roast turkey or stuffed roast goose; then came corned beef, mutton with capers, duck, macaroni and veal. Oddly enough, entrees are served after the main course, again, according to English fashion, quite the opposite of the French style that was adopted in the hotels of Nouvelle-France; curried chicken, steak and kidney pie, grilled pigeon, mutton chops with peas and toad

Comments

[24] Lafrance Marc and Desloges Yvon, **Goûter à l'histoire**. Les éditions de la Chenelière (1989). Excerpts from pages 85 to 87.

[25] In the XVIIIth century, the term restaurant was used to designate a therapeutic beef broth. Establishments that served this dish were known as health houses or restaurants.

[26] Minced pie, also known as mincemeat pie, is a classic British pastry containing candied fruit, nuts and spices generously splashed with brandy or rum. The dish is a traditional Christmas dessert. Legend has it that the night before Christmas, children leave small sweet tarts by the chimney for Saint Nicolas, not cookies and milk!

Le tout est accompagné de légumes bouillis et de la traditionnelle purée de pomme de terre. Les desserts sont également typiques de la cuisine à l'anglaise, soit des puddings, pâtisseries et compotes diverses et les fruits abondent.

On trouve à la bibliothèque de Québec de bons ouvrages de cuisine dans la langue de Shakespeare : William Kitchiner avec son Cook's Oracle, publié en 1821, qui contient des recettes simples 'pour les familles catholiques'. On y intègre aussi les poids et les mesures exactes des quantités, résultat des expérimentation en cuisine de Kitchiner, « adapté pour le public américain par un médecin gentilhomme » et son *Housekeeper Oracle* publié en 1829, sur l'art de recevoir avec élégance, conseils pour les grandes réceptions et sur l'art de gérer les serviteurs. On trouve également le livre de John Conrad *Cookery and Confectionary* paru en 1824. A partir de la deuxième partie du siècle, beaucoup de livres de cuisine arrivent de Grande-Bretagne : *Shilling Cookery for the People* d'Alexis Soyer, publié en 1854, ou encore *Book of household* management de Isabella Beeton, paru en 1861, qui offre des conseils à la maîtresse de maison, à la ménagère, au cuisinier, à la servante, au major d'homme, dont une section se consacre à l'hygiène, avec un rappel sur l'histoire, les origines, les propriétés et l'utilité des choses associées à la vie au foyer et au confort. La cuisine américaine ne laisse pas sa place non plus. On peut se procurer *American Cookery* de Amelia Simmons, publié en 1796 ou le livre de Lydia Child *Americain Frugal Housewife*, publié en 1832 qui est dédié à celles qui n'ont pas honte de vouloir faire des économies. Mais ce sont les livres de Sarah Hale qui semblent connaître le plus de succès : *New receipts for Cookery* ou bien *The New Household receipt Book* respectivement publiés en 1852 et 1853. *La cuisinière canadienne* de L. Perrault, paraît en 1840. Il s'agit d'un des premiers livres à être écrit et publié au Canada et qui marque le début de la cuisine canadienne-française proprement dite.

Après la Confédération, de nombreux ouvrages souvent anonymes, de femmes ou de cercles féminins, sont publiés en Ontario[27]. Ces livres mettent en valeur les produits locaux tels le gibier, les poissons de lac et de rivière ou le maïs. Il ne semble pas que ces livres aient eu un gros impact sur le marché de Québec, bien que quelques copies aient été retrouvées dans certaines bibliothèques d'institutions d'enseignement francophones.

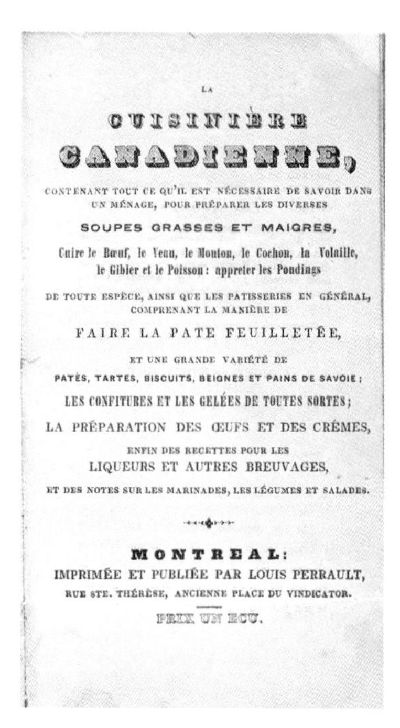

LA

CUISINIÈRE

CANADIENNE,

CONTENANT TOUT CE QU'IL EST NÉCESSAIRE DE SAVOIR DANS UN MÉNAGE, POUR PRÉPARER LES DIVERSES

SOUPES GRASSES ET MAIGRES,

Cuire le Bœuf, le Veau, le Mouton, le Cochon, la Volaille, le Gibier et le Poisson : appreter les Poudings

DE TOUTE ESPÈCE, AINSI QUE LES PATISSERIES EN GÉNÉRAL, COMPRENANT LA MANIÈRE DE

FAIRE LA PATE FEUILLETÉE,

ET UNE GRANDE VARIÉTÉ DE

PATÉS, TARTES, BISCUITS, BEIGNES ET PAINS DE SAVOIE ;

LES CONFITURES ET LES GELÉES DE TOUTES SORTES ;

LA PRÉPARATION DES ŒUFS ET DES CRÊMES,

ENFIN DES RECETTES POUR LES

LIQUEURS ET AUTRES BREUVAGES,

ET DES NOTES SUR LES MARINADES, LES LÉGUMES ET SALADES.

MONTREAL :

IMPRIMÉE ET PUBLIÉE PAR LOUIS PERRAULT,

RUE STE. THÉRÈSE, ANCIENNE PLACE DU VINDICATOR.

PRIX UN ECU.

La cuisinière canadienne, couverture du premier ouvrage de cuisine publié en français au Canada.

La cuisinière canadienne, *cover of the first-ever cookbook published in french, in Canada.*

Commentaire

[27] On doit à Adelaïde Hoodless, réformatrice sociale du XIXe siècle, la pasteurisation du lait et l'enseignement dans les écoles, des sciences ménagères. L'éducation des mères aura été le travail de sa vie.

in a hole. Of course, the requisite boiled vegetables and time-honoured mashed potatoes accompanied all these dishes.

Not surprisingly, desserts also revealed their typical English origins: puddings, pastry and compotes as well as plentiful fruits.

The bibliothèque de Québec maintains a collection of culinary works all written in the King's English, namely, *Cook's Oracle,* written by William Kitchiner published in 1821; this book contained simple recipes intended for "catholic families". Further to Kitchiner's culinary experimentations, he incorporated exact weights and measures "adapted for the American public by a gentleman-doctor. The author's 1829 publication, *Housekeeper Oracle,* focused mainly on the art of entertaining with grace, suggestions for large social gatherings, and managing one's household staff. The Quebec library also offers John Conrad's *Cookery and Confectionary* published in 1824. The second half of the XIXth century saw a varied assortment of culinary writings arrive from Great-Britain: Shilling Cookery for the People was written by Alexis Soyer and published in 1854. Isabella Beeton wrote *Book of Household Management;* her work appeared in 1861 and offered advice to the lady of the house, to the housekeeper, the cook, the servant and the major-domo. The author devoted an entire chapter to hygiene as well as an historic retrospective of the origins, qualities and usefulness of items associated to home life and comfort.

The library displayed an interesting catalogue of authors who specialized in American cuisine, among them Amelia Simmons' *American Cookery* published in 1796 and Lydia Child's *American Frugal Housewife* published in 1832. The author dedicated her book to all women who were not fearful of seeking ways to economize. However, the publications that reaped the greatest success were Sarah Hale's *New receipts for Cookery* and *The New Household receipt Book* published in 1852 and 1853 respectively. Alongside these authors, Canadian Louis Perrault's *La cuisinière canadienne,* published in 1840 was one of the first culinary works written and published in Canada: it marked the beginning of true French-Canadian cuisine.

Following Confederation, many works came to light in Ontario, some of them anonymous, most of them written by women or women's associations[27]. Their writings gave special weight to country foods such as wild game, lake and stream fish or local corn. These publications did not appear to have great impact on the Quebec market, although some francophone teaching institutions kept a few copies on their library shelves.

[27] Adelaïde Hoodless, social reformer of the XIXth century is credited with the creation of the milk pasteurization process as well as the teaching of domestic sciences in schools. She devoted her entire life to the education of mothers.

HOTCH POTCH OU SOUPE DE LÉGUMES À L'AGNEAU

POUR 4 PERSONNES :

240 g (8 oz) de poitrine ou d'épaule d'agneau, coupée en petits dés
120 g (4 oz) d'oignons, hachés
120 g (4 oz) de navets blancs, coupés en dés
2 branches de céleri, coupées en dés
120 g (4 oz) de chou-fleur, détaillé en bouquet
15 g (1/2 oz) de persil, haché
Quelques tiges de ciboulette
3 feuilles de laurier et 2 branches de thym
Sel et poivre

Dans une casserole, déposer la viande et recouvrir d'eau. Ajouter le thym, le laurier, le sel et le poivre. Porter à ébullition et laisser frémir pendant 30 minutes. Ajouter tous les légumes et poursuivre la cuisson pendant 30 minutes de plus. Vérifier l'assaisonnement.

Servir en décorant avec le persil haché et quelques tiges de ciboulette.

Cette soupe est d'origine écossaise.

STEAK AND KIDNEY PIE

POUR 8 PERSONNES :

450 g (1 lb) de pâte feuilletée
450 g (1 lb) de rognons de veau ou d'agneau, dégraissés et coupés en cubes
450 g (1 lb) de viande de bœuf, coupée en cubes (rumsteck ou contre-filet)
30 g (1 oz) de beurre
60 ml (4 c. à soupe) d'huile d'olive
120 g (4 oz) d'oignons, hachés
240 g (8 oz) de champignons, tranchés
125 ml (1/2 de tasse) de porto
500 ml (2 tasses) de bouillon de bœuf
1 jaune d'œuf pour la dorure
Sel, poivre, et noix de muscade

Dans une poêle, chauffer le beurre et l'huile d'olive et faire revenir les oignons hachés. Après quelques minutes, ajouter les champignons. Cuire quelques minutes et retirer du feu.

Dans un bol, mélanger les rognons, le bœuf, les oignons, les champignons,le porto, le sel, le poivre et la noix de muscade. Réserver.

Abaisser les 2/3 de la pâte feuilletée et l'étendre dans un moule en terre cuite de préférence, à bord haut, en gardant suffisamment de pâte en haut du moule de manière à pouvoir souder le couvercle de pâte. Ajouter le mélange et le bouillon de bœuf. Étendre le reste de la pâte de manière à recouvrir la préparation. Rabattre la pâte déposée en premier lieu par dessus afin de recouvrir le tout. Pincer les bords afin que la pâte enrobe bien la masse intérieure. Badigeonner avec la dorure. Créer une cheminée au milieu du couvercle, à l'aide d'un rouleau en papier sulfurisé.

Traditionnellement, la cuisson se fait dans un bain-marie, au four à 180 °C (350 °F) pendant environ 3 heures. Se sert avec une bière « Ale » corsée.

HOTCH POTCH OR LAMB AND VEGETABLE SOUP

4 SERVINGS:

240 g (8 oz) lamb shoulder or shank, cut into small cubes
120 g (4 oz) onions, chopped
120 g (4 oz) white turnip, diced
2 celery stalks, diced
120 g (4 oz) cauliflower, in florets
3 bay leaves
2 thyme sprigs
15 g (1/2 oz) chopped parsley
Fresh chives
Salt and pepper

In a stockpot, place meat and cover with water. Add thyme, bay leaves, salt and pepper. Bring to a boil and simmer for 30 minutes. Add all vegetables and cook for 30 minutes longer. Correct seasoning.

Garnish with parsley and chives.

This soup originated in Scotland.

STEAK AND KIDNEY PIE

8 SERVINGS:

450 g (1 lb) puff pastry
450 g (1 lb) veal or lamb kidneys, fat removed and cut into cubes
450 g (1 lb) beef, cut into cubes (rumpsteak or sirloin)
30 g (1 oz) butter
60 ml (4 tablespoons) olive oil
120 g (4 oz) onions, chopped
240 g (8 oz) mushrooms, sliced
125 ml (1/2 cup) port wine
500 ml (2 cups) beef stock
1 egg yolk to glaze
Salt, pepper, nutmeg

In a skillet, heat butter and olive oil and sauté onions. After a few minutes, add mushrooms. Cook for a few minutes and remove from heat.

In a bowl, mix kidneys, beef, onions, mushrooms, port wine, salt, pepper and the nutmeg. Set aside.

Roll out 2/3 of the pastry and line a deep baking dish (preferably terra cotta), leaving enough pastry at the edge of the dish to seal with covering pastry. Place mixture in the dish and add beef stock. Cover with rest of rolled-out pastry. Bring excess pastry at the edge of the dish over top pastry. Flute edges to seal. Brush pastry with egg yolk. Create a small chimney in centre of pastry by inserting a rolled-up piece of greaseproof paper.

Traditionally, cooking should be done in a double boiler, in a preheated oven at 180 °C (350 °F) for 3 hours. Serve with Ale beer.

GRILLADES DE PORC – SAUCE CUMBERLAND

POUR 4 PERSONNES

4 côtes de porc de 150 g (5 oz) chacune
60 ml (4 c. à soupe) d'huile d'olive
30 g (1 oz) de miel
Gingembre frais, râpé (au goût)
Sel et poivre

SAUCE CUMBERLAND:

2 oranges
125 ml (1/2tasse) de gelée de groseille
60 g (2 oz) d'échalotes, hachées finement
125 ml (1/2 tasse) de porto
15 ml (1 c. à café) de moutarde forte
1 pincée de gingembre
Poivre de Cayenne

Préparer la sauce Cumberland. Prélever les zestes des oranges et le jus des oranges. Réserver.

Dans une casserole, chauffer doucement la gelée de groseille, les échalotes et le jus d'orange. Lorsque le mélange devient homogène, ajouter le porto, les zestes d'oranges, la moutarde, le gingembre et le poivre de Cayenne. Mélanger et cuire à feu doux pendant 5 minutes. Réserver.

Badigeonner les côtelettes de porc avec l'huile d'olive. Mélanger le miel avec le gingembre râpé et l'étendre sur les côtelettes. Griller la viande en la conservant moelleuse et juteuse. Saler et poivrer.

Servir avec la sauce Cumberland, une compote de pomme et des pommes de terre au four.

TRIFLE

POUR 4 PERSONNES

180 g (6 oz) de génoise
125 ml (1/2 tasse) de marmelade d'orange
125 ml (1/2 de tasse) de xérès ou de whisky
450 g (1 lb) de fruits frais (par exemple bananes ou poires)
250 ml (1 tasse) de crème 35 %
30 g (1 oz) de sucre

POUR LA CRÈME ANGLAISE:

500 ml (2 tasses) de lait
1 gousse de vanille
4 jaunes d'œuf
90 g (3 oz) de sucre

Faire la crème anglaise. Fendre la gousse de vanille en deux et la mettre dans une casserole avec le lait. Porter à ébullition et retirer du feu. Dans un bol, fouetter les jaunes avec le sucre puis verser le lait bouillant dessus sans cesser de battre. Verser le tout dans la casserole et cuire à feu doux en remuant avec une cuillère de bois, sans jamais atteindre l'ébullition. Pour vérifier la cuisson de la crème anglaise, en retirer la cuillère et tracer une ligne au centre de celle-ci.

Si la crème est cuite, la ligne restera tracée. Laisser refroidir et retirer la gousse de vanille.

Partager la génoise en deux, garnir une des parties avec la marmelade d'orange, puis recouvrir avec la deuxième partie. Mouiller la génoise avec le xérès ou le whisky. Découper le tout en tranches avec lesquelles on garnira le fond et les côtés de belles grandes coupes en verre dans lesquelles on montera le trifle.

Peler et découper les fruits en dés. Par couches successives avec la génoise, monter le trifle jusqu'à la hauteur du verre. À l'aide d'un fouet, monter la crème 35 % et ajouter le sucre.

Verser la crème anglaise sur le montage. Décorer avec la crème fouettée. Conserver au frais.

Commentaire : pour que l'on puisse qualifier un dessert de trifle, il faut retrouver 3 ingrédients : une crème anglaise, des biscuits ou une génoise imbibée d'alcool et des fruits frais et/ou confits, parfois même de la confiture. À partir de ces ingrédients, le trifle permet des variations multiples.

PORK CUTLETS – CUMBERLAND SAUCE

4 SERVINGS:

4 pork cutlets 150 g (5 oz) each
60 ml (4 tablespoons) olive oil
30 g (1 oz) honey
Fresh ginger (to taste), grated
Salt and pepper

CUMBERLAND SAUCE:

2 oranges
125 ml (1/2 cup) red currant jelly
60 g (2 oz) shallots, finely minced
125 ml (1/2 cup) port wine
15 ml (1 tablespoon) Dijon mustard
Pinch of ginger
Pinch of cayenne

Prepare Cumberland sauce. Remove zest from oranges and extract juice. Set aside.

In a saucepan, slowly heat red currant jelly, shallots and orange juice. When mixture thickens, add port wine, orange zests, mustard, ginger and cayenne pepper. Simmer over low heat for 5 minutes. Set aside.

Baste pork cutlets with olive oil. Mix honey and ginger and spread over cutlets. Grill meat until soft and juicy. Season with salt and pepper.

Serve with Cumberland sauce, an apple compote and baked potatoes.

TRIFLE

4 SERVINGS:

180 g (6 oz) pound cake
125 ml (1/2 cup) orange marmalade
125 ml (1/2 cup) Xérès or whisky
450 g (1 lb) fresh fruit (bananas or pears)
250 ml (1 cup) whipping cream
30 g (1 oz) sugar

ENGLISH CREAM:

500 ml (2 cups) milk
1 vanilla bean
4 egg yolks
90 g (3 oz) sugar

English Cream. Combine milk and split vanilla bean in a medium saucepan. Bring to a boil and remove from heat. In a bowl, whisk egg yolks with sugar. Drizzle a bit of hot milk over egg yolk mixture, whisking constantly. Pour mixture back into saucepan and continue to whisk over low heat until the sauce has thickened. Do not allow mixture to boil. The English Cream is cooked when a track made by running a finger down the middle of a wooden spoon remains clear. Let stand and remove vanilla bean.

Divide the pound cake in half, garnish the bottom half with orange marmalade and place second half on top. Drizzle Xérès or whisky. Cut (cake) slices and line bottom and sides of large glasses.

Peel and cut fruit into cubes. Add fruit over pound cake. In another bowl, whisk cream until it forms peaks. Add sugar.

Pour the English Cream over fruit. Garnish with whipped cream. Refrigerate until ready to serve.

Comment: trifle requires 3 basic ingredients: English Cream, biscuits or pound cake sprinkled with alcohol and fresh fruit and/or candied fruit, and at other times with fruit jam. It is possible to create a wide variety of trifle.

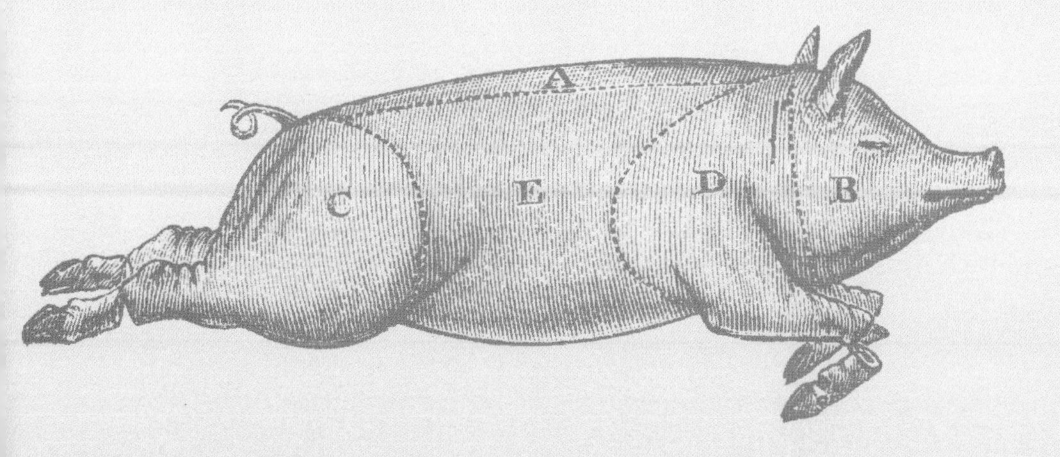

La gastronomie française et la cuisine canadienne

Un gouffre sépare la cuisine dite « canadienne » de celle fastueuse et décorative, certains diront un peu pompeuse et prétentieuse, des chefs français de renom tels les Carême, Gouffé et Dubois. La cuisine canadienne doit tout aux traditions culinaires françaises pratiquées au début du XVIIIe siècle et aux méthodes culinaires anglaises et américaines.

Beaucoup de livres de cette époque nous permettent de constater les divergences entre ces deux cuisines. La publication en 1840 par Louis Perrault de *La cuisinière canadienne* est un constat de ce qu'est la cuisine dite « nationale » au Canada. Pour la première fois, la cuisine dite aussi « canadienne » est organisée et codifiée. De la même manière et à la même époque, la cuisine américaine est codifiée à travers le livre de Simmons dans « American Cookery » et dans de nombreux livres du célèbre cuisinier Carême pour la cuisine française.

La cuisinière canadienne est un traité de cuisine qui s'adresse surtout à la ménagère québécoise. Il ne s'agit pas d'un ouvrage fait pour des professionnels, mais bien d'un ouvrage grand public un peu dans la tradition des livres de la cuisine bourgeoise. Un peu plus tard, en 1879, on retrouve sur les tablettes des libraires *La nouvelle cuisinière canadienne* qui comporte notamment vingt-deux recettes dites « à la canadienne ». Ces recettes font appel à des techniques simples, peu diversifiées, et relèvent d'une cuisine rudimentaire. C'est à travers l'enseignement des religieuses et par les écoles ménagères que l'enseignement de la cuisine est assuré. On a retracé une documentation qui nous indique qu'il se fait en 1882 un enseignement des « sciences ménagères » au Québec et ce sont les filles de bonnes familles, généralement assez aisées qui assistent aux cours. La création de ces institutions a alors pour but premier de freiner l'exode rural « en créant des épouses et des mères parfaites qui retiendront leur mari à la ferme ». Evidemment, il ne faut pas s'étonner du fait que les parents de ces jeunes filles soient peu enclins à débourser pour la formation de futures ménagères.

On retrouve en 1897 une correspondance de l'ingénieur Charles Baillargé adressée aux Ursulines de Québec et portant sur la nécessité d'une école pour former des domestiques à la cuisine. Ce dernier énumère une trentaine de plats que toute cuisinière doit savoir préparer. Il décrit en longueur l'apprêt de la tête de veau, le civet de lièvre, le bœuf à la mode, le ragoût irlandais, les pattes de cochon à la sauce brune.

French Gastronomy / Canadian Cuisine

A wide chasm separated Canadian cuisine per se from the more elaborate, decorative - some will call it ostentatious and conceited - cuisine of such highly regarded French chefs as Carême, Gouffé and Dubois. Canadian cuisine owes its existence to the French culinary traditions in use at the beginning of the XVIIIth century along with English and American cooking methods

Many culinary works of that era allow us to appreciate the dichotomy that existed between both forms of food preparation. The 1840 publication of Louis Perrault's *La cuisinière canadienne* is an acknowledgment of the "national" cuisine of Canada. With this opus, so called "Canadian" cuisine was suitably structured and categorized for the very first time while along the same lines and during this same period, American cuisine was properly coded through Simmons' American Cookery as well as in many of Carême's French culinary publications.

La cuisinière canadienne is a textbook of culinary art intended for the Québécois housewife: it did not cater to professionals. In truth, it was aimed at the public at large, somewhat along the same line as books on the art of home-made cooking. Some time later, in 1879, *La nouvelle cuisinière canadienne* appeared on bookstore shelves; it contained no fewer than 22 "Canadian" recipes that call upon simple techniques with a few variations; in other words, a rudimentary cuisine. The art form was taught to young ladies by nuns in school as well as in domestic science academies. Historic documents indicate that domestic sciences were on the school curriculum in Quebec City in 1882, and young ladies from affluent families attended these classes. The establishment of these institutions was, first and foremost, a means to curb rural-to-urban migration; it helped shape women into perfect spouses and mothers skilled at keeping their husbands on the farm. Needless to say, well-to-do parents of young ladies were not readily inclined to pay religious institutions to shape of their daughters into latter-day home-makers!

A correspondence document dating back to 1897 reads that Charles Baillargé, engineer, gave a speech to the Ursulines of Québec, insisting on the necessity of establishing a school for domestic kitchen staff. He went on to enumerate at least thirty dishes that any and all house-cook should know how to prepare. He carried on at length in his description of the manner in which to dress a calf's head, prepare rabbit stew, boeuf à la mode, Irish stew, and pigs' feet in brown sauce.

En 1904, on voit apparaître des écoles ménagères provinciales, une initiative laïque des bourgeoises, membres de la société Saint-Jean-Baptiste et de comités citoyens. Les cours sont bilingues et l'on y enseigne la cuisine, la couture et le droit matrimonial[28]. On constate aujourd'hui que ces écoles ménagères ont eu une importance capitale dans l'évolution des sciences sociales au Québec tant elles étaient à l'avant-garde de la diététique, des soins infirmiers, de l'hygiène, du travail social, des soins de la petite enfance et des soins prénataux.

Entre 1830 et 1890, le nombre total d'habitants au Québec passe à 1,2 million. Devenues métropoles économiques, les villes de Montréal et de Québec accueillent de nouveaux immigrants, irlandais, juifs et italiens. Avec l'arrivée des immigrants italiens vers 1870, on constate l'introduction de la tomate dans l'alimentation au Québec. Cet aliment qui nous paraît tout à fait courant de nos jours fait son entrée dans la cuisine italienne au XVIe siècle, alors qu'il est ramené de l'Amérique du Sud par les conquistadores. Ce sont les Incas qui la cultivaient et lui attribuaient des vertus aphrodisiaques. La tomate fait son apparition en France vers le début du XVIIIe siècle, mais on ne la cultive alors que dans le sud, en Provence. Il faudra attendre 1793 pour que sa culture s'étende à la grandeur du pays. C'est ce qui fait dire aux historiens que nos tomates sont probablement importées d'Europe et un peu plus tard de Floride. Au Québec, à cette époque, on la considère cependant comme un aliment de curiosité.

Jean Anthelme Brillat-Savarin, La physiologie du goût

La gastronomie française entre dans une époque qu'on a identifiée comme étant celle des « Cuisiniers de Lumière ». Si l'on a quelque peu oublié l'immense contribution d'Alexandre Balthazar Laurent Grimod de La Reynière, ce célèbre gastronome et créateur de la critique gastronomique, à qui on doit l'usage de donner aux plats des appellations (qu'il a défini à l'intérieur d'un périodique paru en 1802 et intitulé *L'Almanach des gourmands*), il n'en est pas de même pour la *Physiologie du goût*, ce recueil que Brillat-Savarin a fait paraître en 1825. Ce dernier est témoin de l'ouverture des premiers restaurants et il est le premier à intellectualiser la gastronomie, à réfléchir sur sa professionnalisation. Il est également le premier à appliquer au domaine culinaire un langage qui se veut scientifique. Est-il le précurseur de la « cuisine moléculaire » des années 2000 ? Peut-être. Quoi qu'il en soit, il ouvre la voie à la critique gastronomique qui n'a cessé de se développer jusqu'à nos jours.

Marie Antoine, dit Antonin Carême, pâtissier et cuisinier français, reste le plus grand de ce début de siècle. A travers ces nombreuses parutions qui vont du « Pâtissier royal» en 1815 jusqu'au « Classiques de la table » en 1844, il revendique, comme ses prédécesseurs et comme ses successeurs jusqu'à nos jours, le label de la nouvelle cuisine. Il élève l'art de la table à une quasi-science et on l'admire partout à travers l'Europe. Du passé il fait table rase, tout en conservant ce qui l'intéresse : « moins d'épices, mais des sauces ! ». Voilà ce que l'on écrit sur lui : « Comme l'art classique, le résultat de l'art carêmien est toujours très simple et extrêmement lisible.

Commentaire

[28] La réussite de ces institutions est telle qu'en 1919 on crée un Baccalauréat en sciences ménagères d'une durée de quatre ans.

YSIOLOGIE DU GOUT

BRILLAT SAVARIN,

PAR BERTALL

D'UNE NOTICE BIOGRAPHIQUE

PAR ALPH. KARR.

Dessins à part du texte, gravés sur acier par Ch. Geoffroy,

Gravures sur bois, intercalées dans le texte, par Midderigh.

GABRIEL DE GONET, ÉDITEUR, RUE DES BEAUX-ARTS, 6.

Jean Anthelme Brillat-Savarin, A physiology of taste

Later, in 1904, provincial science schools began to emerge. They were a lay initiative by moneyed ladies, members of the Saint-Jean-Baptiste society and citizens' groups. At that time, courses were taught in both French and English and consisted of culinary and sewing courses as well as classes in the field of matrimonial law[29]. Today, we can readily acknowledge the critical impact that these schools had in the structural evolution of social sciences in Quebec owing to the fact that they were miles ahead in matters of dietetics, nursing care, hygiene, social work, early childhood and prenatal care.

Within a 50-year span, the population of the Province of Quebec rose above 1,2 million. Montreal and Quebec became economic focal points; they attracted new Irish, Jewish and Italian immigrants. And with the arrival of this last group, some time around 1870, the tomato made its way onto Quebec tables.

As universally recognized as it is today, the tomato was only introduced into Italian cuisine in the XVIth century; Spanish conquistadors brought it to Italy from South America at that time. The tomato owes its growth to the Incas who believed it to have aphrodisiac properties. It arrived in France at the beginning of the XVIIIth century, yet was cultivated only in Provence, in the southern part of France. After 1793, the entire country was able to grow tomatoes. This would explain why history books state that our tomatoes were first imported from Europe; later, they came to us from Florida. During the second half of the century, however, the people of Quebec looked upon it as an oddity.

French gastronomy entered an era recognized as the time of the "Dazzling Chefs". With the passage of time, we may have forgotten the extraordinary contribution of celebrated epicure Alexandre Balthazar Laurent Grimod de La Reynière, eminent food critic to whom we owe the achievement of naming culinary dishes (a periodical published in 1802, entitled *L'Almanach des gourmands,* contains these definitions). In contrast, the *Physiologie du goût* that Brillat Savarin published in 1825 remains at the forefront of our thoughts. Brillat Savarin witnessed the opening of the first restaurants; he was the first person to raise gastronomy to an intellectual plane, and to consider its professional status. In addition, he was the first to endow the culinary world with terminology of a scientific nature. Is Brillat Savarin the pioneer of "molecular gastronomy" of the year 2000? Perhaps. In any event, this highly regarded epicure paved the way to gastronomic critique that has continued to evolve.

Pastry chef and French cook Marie Antoine Carême, also known as Antonin Carême, remains the most prominent chef of that era. He made public the existence of the "nouvelle cuisine" label in all his publications, specifically in his 1815 book "Pâtissier royal" up to 1844 with his "Classiques de la table", as did his predecessors and so many others who have succeeded him to this day. Carême elevated culinary art to a near science and won acclaim throughout Europe.

COMMENT

[28] Adelaïde Hoodless, social reformer of the XIXth century is credited with the creation of the milk pasteurization process as well as the teaching of domestic sciences in schools. She devoted her entire life to the education of mothers.

Ce qui est compliqué, c'est le processus pour y parvenir, processus qui d'ailleurs n'a pas pour but de superposer les saveurs, mais bien au contraire de les isoler et de les mettre en relief.

La grande cuisine, avec lui, n'est pas, comme on le croit trop souvent, l'accumulation barbare de produits hétéroclites et non dosés, mais la dominante préservée dans la préparation finale. Carême introduit dans la cuisine ce qu'on appelle en peinture « les valeurs », c'est-à-dire qu'il fait comprendre pour la première fois que les saveurs et les odeurs doivent être jugées non dans l'absolu, mais dans leurs relations mutuelles ».

À Québec, au milieu du siècle, ceux qui veulent faire bonne chère, et principalement la bourgeoisie, peuvent se procurer tout ce dont ils ont besoin. On a qu'à voir l'inventaire de marchandise de l'épicier Grenier rue St-Jean, pour s'en convaincre. Sur les étagères des condiments, on trouve notamment des truffes, des champignons, du vinaigre d'échalotes, de malt, de vin, de l'essence d'anchois, des financières de truffes, des bouillons de palourdes. Au comptoir des fromages, les gourmets connaisseurs ont le choix entre les meilleurs fromages anglais et jusqu'au parmesan et au roquefort, sans oublier le cheddar canadien ou le traditionnel oka. Un peu plus loin, l'étal du poissonnier propose de la fraîcheur avec le crabe, le homard, les huîtres, les palourdes, le saumon, les harengs, les sardines. Chez « le primeur », fruits et légumes même rares sont disponibles : oranges de Floride, pêches du Niagara, asperges américaines et françaises, poires de Californie, ananas, bananes, choux-fleurs, flageolets, tomates, piments. Chez le pâtissier, le gâteau à la reine côtoie le pain de Savoie, le gâteau au citron ou à la crème, les babas, les pralines, les chocolats, les dattes à la crème, les bonbons à la liqueur.

En résumé, bien manger fait partie des priorités, en tout cas certainement pour ceux qui appartiennent à la bonne société, soit principalement la bourgeoisie marchande et administrative qui peut alors s' offrir ce qui demeure pour bien d'autres un luxe[30].

Commentaire

[30] Lafrance Marc et Desloges Yvon, **Goûter à l'histoire**. Les éditions de la Chenelière (1989). Extraits tirés des pages 100 à 102.

He wiped the 'past' slate clean while retaining strictly the fundamentals "fewer spices, yet more sauces!". Critics had this to say about Carême: As with classical art, the product of Careme's craft is always very simple and extremely legible. That which is complicated is the process; a process which, moreover, seeks not to superimpose flavours, but rather to isolate and highlight them to advantage. "Haute Cuisine" for him is not, as we too often believe, a rude, ill proportioned mixture of exotic products, but instead a medley of ingredients, subtly combined to focus attention on one key characteristic of the final presentation. Carême brings to culinary art what is known in the art world as "values". For the first time, he truly makes us understand that we need to judge flavours and aromas not as separate features but rather as commingling elements."

Anyone, mostly the well-to-do, looking to eat well in Quebec City in the middle of the century, could obtain whatever they required. One need only examine the 1886 merchandise inventory sheets of the Grenier grocery store on rue St-Jean for proof. On the condiment shelves, there were truffles, mushrooms, and shallot vinegar, malt, wine, anchovy oil, peels of truffles, and clam broths. The cheese counter held a wide variety to please gourmet connoisseurs looking to enjoy English cheese, Parmesan, Roquefort, and of course, Canadian cheddar and the traditional Oka cheese. The fishmonger's storefront offered its customers fresh crab, lobster and oysters as well as clams, salmon, herring βand sardines. At the "Primeur" stand, even rare fruits and vegetables were fresh for the picking: clients could select Florida oranges, peaches from the Niagara peninsula, French and American asparagus and California pears as well as pineapple, bananas, cauliflower, green kidney beans, tomatoes and peppers. The pastry shop displayed an array of sweet delicacies such as a queen's cake, Savoy cake, and lemon cake, rum babas, pralines, chocolates, creamed dates, and liquor bonbons.

In conclusion, we can see that eating well remained a priority, at least for people of the upper classes, namely well-to-do merchants and middle class civil servants who were able to afford it while for lower class folk, it remained a luxury item[30].

COMMENT

[30] Lafrance Marc and Desloges Yvon, **Goûter à l'histoire**. Les éditions de la Chenelière (1989). Excerpts from pages 100 to 102.

SOUPE AUX MOULES

POUR 4 PERSONNES :

1,8 kg (4 lb) de moules
90 g (3 oz) de beurre
150 g (5 oz) d'échalotes, hachées
125 ml (1/2 tasse) de vin blanc
3 gousses d'ail, hachées
500 ml (2 tasses) de lait
125 ml (1/2 tasse) de crème 35 %
Le jus d'un citron
2 jaunes d'œufs
Quelques croûtons de pain
Poivre et sel si nécessaire

Dans une casserole, chauffer le beurre et faire tomber les échalotes hachées. Ajouter les moules, le vin blanc et le poivre. Couvrir et cuire jusqu'à l'ouverture des moules. Ne pas trop cuire. Les retirer du feu. Égoutter les moules. Réserver.

Remettre la casserole avec le jus de moules sur le feu et ajouter l'ail haché, le lait et la crème. Laisser frémir pendant 10 minutes. Sortir du feu, ajouter le jus de citron. Vérifier l'assaisonnement. À l'aide d'un fouet, ajouter les jaunes d'œuf.

Sortir les moules de leur coquille. Les distribuer à l'intérieur de chaque soupière. Ajouter le liquide, quelques croûtons de pain et servir aussitôt.

TERRINE DE LAPIN AU COGNAC

POUR UNE TERRINE DE 25 TRANCHES

1 lapin de 1,8 kg (4 lb) environ, désossé et coupé en dés
3 gousses d'ail, écrasées
2 oignons moyens, coupés en morceaux
1 carotte, coupée en morceaux
1 bouquet garni
250 ml (1 tasse) de vin rouge
240 g (8 oz) de veau, haché
240 g (8 oz) de chair à saucisse de porc
60 ml (4 c. à soupe) de cognac
2 tiges de thym
Sel et poivre
2 bardes de lard

Dans un bol, rassembler les morceaux de lapin et ajouter l'oignon, l'ail, la carotte, le bouquet garni et le vin rouge. Laisser mariner 24 heures.

Retirer le lapin de la marinade.

Dans un bol, mélanger le lapin, le veau haché, la chair à saucisse, le cognac, le sel, le poivre et les brindilles de thym.

Dans le fond d'une terrine, déposer les bardes de lard en prenant soin qu'elles dépassent les rebords. Ajouter la farce et recouvrir avec la barde des rebords. Refermer avec le couvercle et cuire au bain-marie dans un four à 180 °C (350 °F) pendant environ 1 h 30 à 2 heures.

MUSSEL SOUP

4 SERVINGS:

1,8 kg (4 lb) mussels
90 g (3 oz) butter
150 g (5 oz) shallots, minced
125 ml (1/2 cup) white wine
3 garlic cloves, minced
500 ml (2 cups) milk
125 ml (1/2 cup) whipping cream
Juice of one lemon
2 egg yolks
A few croutons
Pepper and salt, if necessary

In a stockpot, heat butter and sauté shallots. Add mussels, white wine and pepper. Cover and simmer until mussels open. Do not overcook. Remove from heat. Using a colander, strain mussels and keep cooking liquid. Set mussels aside.

Return stockpot and cooking liquid to heat and add garlic, milk and cream. Simmer for 10 minutes. Remove from heat and add lemon juice. Correct seasoning. Whisk egg yolks into this mixture.

Remove mussels from their shell and divide into each serving bowl. Add liquid, a few croutons and serve immediately.

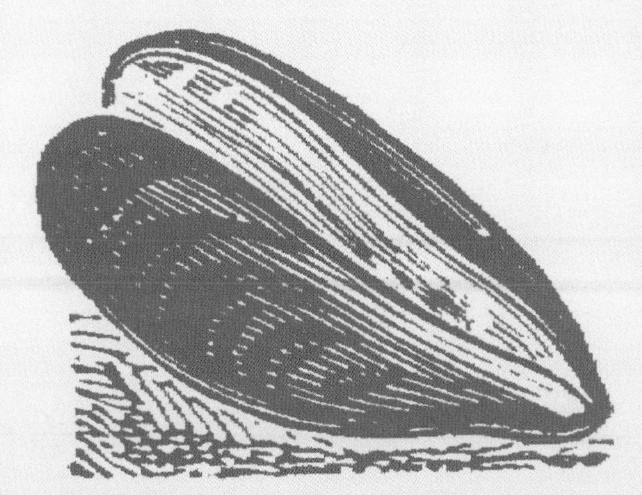

TERRINE OF RABBIT WITH COGNAC

FOR A TERRINE OF 25 SLICES:

1 rabbit 1,8 kg (4 lb), cut into pieces
3 garlic cloves, crushed
2 medium onions, chopped
1 carrot, diced
1 herb bouquet
250 ml (1 cup) red wine
240 g (8 oz) ground veal
240 g (8 oz) pork sausage meat
60 ml (4 tablespoons) cognac
2 thyme sprigs
Salt and pepper
2 bacon slices

In a bowl, combine rabbit, onion, garlic, carrot, herb bouquet and red wine. Marinate for 24 hours.

Remove rabbit from marinade. In a bowl, add rabbit, veal, sausage meat, cognac, salt, pepper and thyme sprigs.

Line bottom of terrine dish with bacon, allowing bacon ends to overlap edges of terrine dish. Add filling and cover with bacon ends. Cover terrine and cook in a double boiler for 1 hour 30 minutes to 2 hours in a preheated oven at 180 °C (350 °F).

CÔTELETTES DE CHEVREUIL – SAUCE ROUGE

POUR 4 PERSONNES

12 côtelettes de chevreuil
240 g (8 oz) de beurre
60 ml (4 c. à soupe) d'huile d'olive
30 g (1 oz) d'échalotes, hachées
375 ml (1 1/2 tasse) de vin rouge
1 gousse d'ail, écrasée
1 tige de thym
1 feuille de laurier
60 g (2 oz) de sauce tomate
Sel et poivre

Dans une poêle, chauffer un peu de beurre et d'huile et cuire les côtelettes. Une cuisson rosée est conseillée. Saler et poivrer. Retirer les côtes et les conserver au chaud.

Retirer la graisse de cuisson. Ajouter les échalotes et laisser légèrement suer. Déglacer avec le vin rouge. Ajouter le thym, le laurier, la gousse d'ail, la sauce tomate et laisser réduire de moitié. Ajouter la crème et réduire de nouveau pendant quelques minutes. Monter au beurre en l'ajoutant progressivement en petites parcelles et en remuant à l'aide d'un fouet. Passer à travers une passoire fine, vérifier l'assaisonnement.

Servir avec un sauté de champignons sauvages et du chou rouge braisé.

GALETTE À LA CRÈME D'AMANDE

POUR UNE GALETTE DE 6 À 8 PERSONNES

450 g (1 lb) de pâte feuilletée
1 jaune d'œuf pour la dorure

CRÈME D'AMANDE :

90 g (3 oz) de beurre
90 g (3 oz) de sucre glace
90 g (3 oz) de poudre d'amande
15 ml (1 c. à café) de fécule de maïs
2 œufs
Une goutte d'essence d'amande amère

CRÈME PÂTISSIÈRE : *on utilisera seulement la moitié de cette recette pour la galette. Le reste trouvera sans aucun doute sa place dans une future tarte ou des choux à la crème.*

375 ml (1 1/2 tasse) de lait
1/2 gousse de vanille
4 jaunes d'œufs
120 g (4 oz) de sucre
60 g (2 oz) de farine
30 g (1 oz) de beurre

Pour la crème pâtissière. Faire bouillir le lait avec la gousse de vanille fendue. Dans un bol, mélanger pendant quelques minutes les jaunes d'œuf avec le sucre. Ajouter la farine et bien mélanger. Verser le lait dans ce mélange et retourner sur le feu jusqu'à ébullition. Retirer du feu et enlever la gousse de vanille. Disperser quelques parcelles de beurre sur le dessus de la crème afin d'éviter qu'une croûte se forme. Laisser refroidir. Réserver.

Pour la crème d'amande. Mettre le beurre en petits morceaux dans un bol et ramollir à l'aide d'une spatule. Ajouter successivement le sucre glace, la poudre d'amande, la fécule de maïs, les œufs et la goutte d'essence d'amande amère en fouettant avec un batteur électrique. Ajouter la crème pâtissière. Réserver.

Séparer la pâte feuilletée en deux. Abaisser chaque moitié en forme de cercle d'environ 20 cm (8 po). Garnir avec la crème d'amande en laissant tout autour une marge de 1,5 cm (1/2 pouce).

Badigeonner le tour du premier disque avec un pinceau trempé dans l'eau. Poser le deuxième disque sur la crème et souder bien les bords. Badigeonner avec la dorure et tracer des motifs en rosace avec la pointe du couteau sur le dessus. Enfourner pendant 45 minutes à 190 °C (375 °F). Servir froid.

DEER CUTLETS – RED SAUCE

4 SERVINGS:

12 deer cutlets
240 g (8 oz) butter
60 ml (4 tablespoons) olive oil
30 g (1 oz) shallots, minced
375 ml (1 1/2 cup) red wine
1 garlic clove, crushed
1 thyme sprig 1 bay leaf
60 g (2 oz) tomato sauce
Salt and pepper

In a skillet, heat a small amount of butter and oil and sauté cutlets. Do not overcook – medium-rare is best. Season with salt and pepper. Remove cutlets and keep warm.

Remove excess fat from skillet. Add shallots and let sweat. Deglaze with red wine. Add thyme, bay leaf, garlic, and tomato sauce. Reduce to half. Add cream and reduce a few minutes longer. Whisk in butter, a small amount at a time. Strain sauce. Correct seasoning.

Serve with wild mushrooms and braised red cabbage.

ALMOND CREAM GALETTE

ONE GALETTE - 6 TO 8 SERVINGS:

450 g (1 lb) puff pastry
1 egg yolk to glaze

ALMOND CREAM:

90 g (3 oz) butter
90 g (3 oz) confectioners' sugar
90 g (3 oz) ground almonds
15 ml (1 tablespoon) cornstarch
2 eggs One drop of bitter almond extract

PASTRY CREAM: *only half this recipe will be used for the galette. The rest may be used for pie or puff pastry filling.*

375 ml (1 1/2 cup) milk
1/2 vanilla bean
4 egg yolks
120 g (4 oz) sugar
60 g (2 oz) flour
30 g (1 oz) butter

Pastry cream. In a medium saucepan, bring milk to a boil. Add vanilla bean. In a bowl, beat egg yolks with sugar until thick and pale. Add flour and mix well. Pour hot milk into yolk mixture and whisk. Cook over medium heat, whisking constantly until mixture comes to a boil. Remove from heat and remove vanilla bean. Dot mixture with butter to prevent a skin from forming. Let cool. Set aside.

Almond cream. In a bowl, soften butter with a spatula. Beat in sugar, ground almonds, cornstarch, eggs and the drop of bitter almond extract. Add pastry cream. Set aside.

Divide puff pastry into two sections. Roll out each half to form a 20 cm (8 inch) circle. Garnish with almond cream, leaving a 1,5 cm (1/2 inch) border. Brush border with water. Cover with top sheet and press firmly. Brush top sheet with egg yolk and draw a rose motif with a knife. Bake for 45 minutes at 190 °C (375 °F). Serve cold.

Les débuts de l'hôtellerie

Un geste marque les débuts de l'hôtellerie au Canada au sens moderne du terme. Le 14 août 1805, de grands hommes d'affaires et hauts fonctionnaires de Québec se rassemblent à la Place d'Armes pour poser la première pierre de l'Hôtel Union[30], un hôtel qui se veut « respectable », sur la Parade, près du château du gouverneur. Il est fondé par John Young, un jeune marchand londonien devenu député de la Basse-Ville de Québec en 1792. Ce dernier met l'accent sur l'hébergement, le confort, le divertissement et le service de restauration. Jusque-là, les hôtels se distinguent très peu des tavernes et des cafés ; on comprend alors très facilement l'importance du geste posé par ces notables. Cet hôtel fonctionne dans la tradition anglaise, selon la formule des souscriptions privées et en cela, il ressemble aux clubs privés de l'époque dont certains accès sont réservés aux seuls membres souscripteurs. Malheureusement l'hôtel Union devra fermer ses portes sept ans plus tard, l'opération ne connaissant pas le succès attendu.

En 1812 l'hôtel Malhiot voit le jour. Il est construit sur le modèle américain, un concept moderne, davantage orienté sur le besoin des voyageurs. L'inauguration des circuits de voyage, des « fashionable tours », encourage l'éclosion de ces hôtels et de ceux qui vont suivre. Quinze ans plus tard, il changera de nom pour devenir le Manoir Victoria.

L'hôtellerie se diversifie aussi. Tout en demeurant orientée sur le tourisme, elle peut recevoir aussi bien le tourisme de passage qu'une clientèle « de pension » car les chambres et suites sont louées à des familles qui restent au mois et parfois même à l'année et y prennent leurs repas. Ces établissements comprennent des salles de bals, un café, des bains, des salles de billard, des salles de musique, un restaurant gastronomique à la manière des grands palaces parisiens. Ces hôteliers font grand cas de leurs cuisiniers français et de leurs maîtres d'hôtel formés dans la tradition des meilleurs hôtels New-Yorkais.

Au milieu du siècle, on dit de l'hôtel St-Louis « qu'il est comparable et dans le meilleur style des hôtels de New York et Boston ». En 1855 l'hôtel Russel de Québec, qui reçoit pour l'occasion avec tous les honneurs le commandant de la frégate française « La Capricieuse » en mission de réconciliation au Canada, « ...donne lieu à la réalisation de ces mets sophistiqués où l'on retrouve autant de spectacle que de la haute cuisine par des buffets gigantesques où les pyramides, les fontaines et les aspics de toutes sortes abondent... ».[31]

On trouve les quelques commentaires suivants dans le guide allemand Baedeker, un des tout premiers guides touristiques. Les meilleures tables du Quebec furent longtemps celles des hôtels. On notait que les plats à base de bœuf et de mouton étaient moins bien réussis qu'en Angleterre et que la qualité du vin laissait à désirer. En juin 1860, on peut déguster « in the french style » au petit hôtel Henchey de la rue Sainte-Anne, des darnes de saumon à la maître d'hôtel, de la mayonnaise de homard, des filets de bœuf sauce madère, des côtelettes de mouton ou de veau aux petits pois, des animelles de veau à l'espagnol, des poulets au curry et des sautés de veau Marengo. De cet hôtel de la rue Ste-Anne, on dit que « ...les mets les plus choisis étaient servis par des domestiques expérimentés et polis... ». Par ailleurs, c'est à l'Hôtel St-Louis que les « Pères de la Confédération » s'attablent lors de la Conférence de Quebec en 1864. Le guide commercial affirme que « le menu de l'hôtel tenterait un épicurien ». Cet hôtel de Québec de la rue St-Louis est le plus « fashionable » de Québec et il le restera jusqu'au développement du chemin de fer à la fin du siècle qui donne naissance à un hôtel plus grand et plus luxueux, soit le célèbre Château Frontenac.

COMMENTAIRES

[30] Aujourd'hui le centre Info Tourisme de Québec

[31] Lafrance Marc et Desloges Yvon, **Goûter à l'histoire**. Les éditions de la Chenelière (1989). Extraits tirés des pages 132 à 134.

The Hospitality Industry in the XIXth Century

Beadeker, the famed German guidebook, one of the first of its kind, offered a number of comments on the best tables in Quebec, stating that these were usually found in hotels. It went on to say that beef and mutton dishes were not as tasty in those establishments as those of English preparation, and that the quality of the wine was quite ordinary. In June of 1860, the Henchey Hotel on rue Sainte-Anne was host to a "French style" tasting of salmon steaks 'maître d'hôtel', a lobster mayonnaise, beef filets garnished with Madeira sauce, mutton or veal chops on a bed of sweet green peas, Spanish style lamb's fries, curried chicken and veal Marengo. Comments overheard on the subject of this hotel were: "... the most tasteful dishes were served by experienced, very polite domestics..." Similarly, it is worth noting that the 'Fathers of Confederation' sat down in the dining hall of Hôtel St-Louis in 1864. The guide book went on to recount that the "hotel menu would have appealed to an epicurean". This Quebec hotel was truly the most "fashionable" in the city and remained in high esteem until the arrival of the railroad at the end of the century, which led to the opening of a grander, more luxurious hotel, the Château Frontenac.

An historic event took place in Quebec City, which marked the establishment of the hotel industry in Canada in the modern sense of the word. On August 14, 1805, a number of major businessmen and senior officials gathered at Place d'Armes to lay the corner stone of Union Hotel[30], a "respectable" establishment situated on the Parade, a stone's throw away from the governor's palace. John Young founded the hotel. This young London merchant had been elected Deputy of the Basse-Ville of Quebec in 1792. He emphasized quality accommodations in his hotel as well as comfort, entertainment and restaurant services. Until that time, there was little to distinguish a hotel from a tavern or a café; thus it is understandable that his gesture held such significance. According to traditional English rules, the hotel ran on private subscriptions; it resembled private clubs of that era which opened their doors strictly to subscribing members. Unfortunately, the Union Hotel closed its doors seven years later for failure to achieve the hoped-for success.

Hotel Malhiot opened its doors in 1812. It was built according to the American model, that is to say a more modern concept that catered more readily to the needs of travellers. The introduction of travel tours, "fashionable tours" stimulated the emergence of these hotels as well as those which followed. In 1927, it became known as Manoir Victoria.

The hotel industry was also evolving. While remaining focused on tourism, it also opened its doors to a transitory clientele or "boarders". In such cases, rooms and suites were let to families who remained in these establishments on a month-to-month basis, occasionally on a yearly basis and who regularly took their meals there.

These establishments included ballrooms, cafes, baths, billiard rooms and music rooms as well as a gastronomic restaurant in the style of fine Parisian palaces. Hotel owners insisted upon the services of French chefs, and their Maître D's trained in the best New York hotels.

Toward the middle of the century, Hotel St-Louis received the following honourable mention: "it is akin to and in the finest style that we have come to enjoy in New York and Boston hotels." Similarly, in 1855, the Russel Hotel in Quebec City was host to the crew of the French frigate "La Capricieuse" on a reconciliation mission in Canada. For this singular occasion, the hotel: "created sophisticated dishes in which were found as much display as haute cuisine in enormous buffets where pyramids, fountains, and aspics of all kinds abounded."[31]

Comments

[30] Today, it is a Quebec Travel Information Centre

[31] Lafrance Marc and Desloges Yvon, **Goûter à l'histoire**. Les éditions de la Chenelière (1989). Excerpts from pages 132 to 134.

BISQUE DE HOMARD

POUR 4 PERSONNES :

1 homard cuit de 675 g (1 1/2 lb)
60 ml (4 c. à soupe) d'huile d'olive
60 g (2 oz) d'oignons, coupés en morceaux
30 g (1 oz) de céleri, coupé en morceaux
60 g (2 oz) de carottes, coupées en morceaux
2 gousses d'ail
Quelques brins de thym
15 g (1/2 oz) de concentré de tomate
60 ml (4 c. à soupe) de brandy
30 g (1 oz) de farine
250 ml (1 tasse) de vin blanc
1 l (4 tasses) de fumet de poisson
Poivre de Cayenne et sel
125 ml (1/2 de tasse) de crème 35 %

Décortiquer le homard, couper la chair en dés et réserver. Avec le dos d'un gros couteau, concasser et écraser la carapace du homard en petits morceaux. Faire revenir la carapace du homard dans une casserole avec de l'huile d'olive, jusqu'à l'obtention d'une légère coloration. Ajouter les légumes, l'ail, le thym et le concentré de tomate et faire revenir encore quelques minutes.

Verser le brandy et flamber. Ajouter la farine et bien mélanger. Ajouter le vin blanc et le fumet de poisson. Assaisonner d'une pincée de poivre de Cayenne et de sel. Amener à ébullition et laisser mijoter 45 minutes.

Ajouter la crème et laisser réduire 5 minutes. Filtrer à travers une passoire fine et vérifier l'assaisonnement. Servir et décorer de dés de chair de homard.

Des croûtons frottés à l'ail accompagnent bien cette bisque.

COQUILLES SAINT-JACQUES AU BEURRE BLANC

POUR 4 PERSONNES :

24 coquilles Saint-Jacques ou pétoncles
60 ml (4 c. à soupe) d'huile d'olive
30 g (1 oz) de beurre
Sel et poivre
Quelques feuilles de cerfeuil

POUR LE BEURRE BLANC:

125 ml (1/2 tasse) de vin blanc
60 g (2 oz) d'échalotes, hachées
60 ml (4 c. à soupe) de vinaigre de vin rouge
125 ml (1/2 tasse) de crème
240 g (8 oz) de beurre

Faire le beurre blanc. Dans une casserole, mettre le vin blanc, les échalotes et le vinaigre. Réduire complètement. Ajouter la crème et réduire de moitié. Retirer du feu et ajouter le beurre en petites parcelles à l'aide d'un fouet. Assaisonner de sel et de poivre. Réserver dans un bain-marie, car cette sauce est très fragile.

Dans une poêle bien chaude, chauffer le beurre et l'huile d'olive et cuire les coquilles Saint-Jacques très rapidement. Saler et poivrer.

Déposer les coquilles dans chaque assiette, napper avec le beurre blanc et décorer avec quelques feuilles de cerfeuil.

RIS DE VEAU HÔTELIÈRE

POUR 4 PERSONNES :

720 g (1 lb 9 oz) de ris de veau, nettoyés et dégorgés
60 g (2 oz) de beurre
125 ml (1/2 tasse) de vin blanc
500 ml (2 tasses) de fond de veau
125 ml (1/2 de tasse) de porto
60 g (2 oz) d'échalotes, hachées
240 g (8 oz) de champignons, coupés en quartiers
Sel et poivre

Plonger les ris de veau dans l'eau bouillante et les faire blanchir pendant 3 minutes. Les rafraîchir à l'eau froide, les égoutter et retirer la petite peau qui recouvre le ris. Dans une casserole avec du beurre, les colorer pendant quelques minutes, ajouter les échalotes hachées, mouiller avec le vin blanc, le porto et le fond de veau.

Saler et poivrer. Porter à ébullition et laisser frémir pendant 15 minutes.

Retirer les ris, ajouter les champignons et réduire la sauce jusqu'à 250 ml (1 tasse). Vérifier l'assaisonnement. Servir avec un légume vert de saison.

LOBSTER BISQUE

4 SERVINGS:

1 cooked lobster 675 g (1 1/2 lb)
60 ml (4 tablespoons) olive oil
60 g (2 oz) onions, chopped
30 g (1 oz) celery, chopped
60 g (2 oz) carrots, chopped
2 garlic cloves
Thyme sprigs
15 g (1/2 oz) tomato paste
60 ml (4 tablespoons) brandy
30 g (1 oz) flour
250 ml (1 cup) white wine
1 litre (4 cups) fish broth
Cayenne pepper and salt
125 ml (1/2 cup) whipping cream

Cut lobster in half lengthwise, cut meat into cubes. Set aside. With back of a large knife, crush entire lobster shell into small pieces. In a saucepan, heat oil and cook shell until slightly brown. Add vegetables, garlic, thyme and tomato paste. Stir well and simmer over medium heat for a few minutes.

Add brandy and flambé. When flames diminish, add flour and mix. Add white wine and fish broth. Add a pinch of cayenne pepper and salt. Bring to a boil, reduce heat and simmer for 45 minutes.

Add cream and reduce heat for 5 minutes. Transfer to a fine sieve placed over a bowl. Push down on shells, forcing as much liquid as possible through the sieve. Correct seasoning. Garnish with lobster meat.

Serve immediately with garlic croutons.

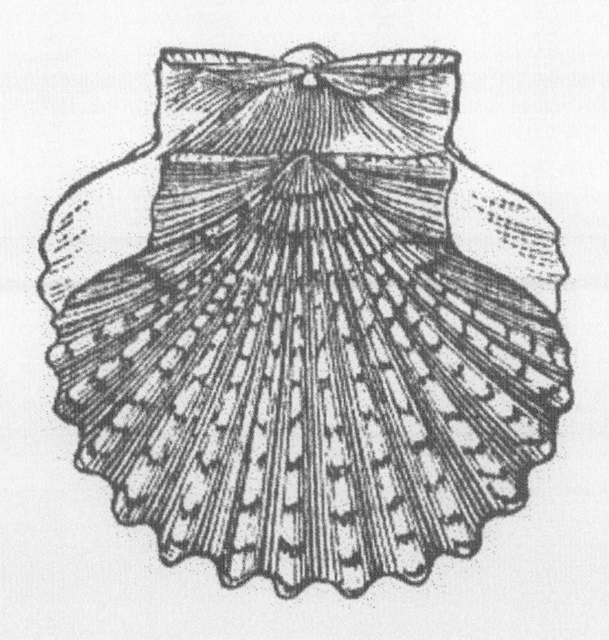

COQUILLES SAINT-JACQUES, BEURRE BLANC

4 SERVINGS:

24 scallops
60 ml (4 tablespoons) olive oil
30 g (1 oz) butter
Salt and pepper
Chervil

BEURRE BLANC :

125 ml (1/2 cup) white wine
60 g (2 oz) shallots, minced
60 ml (4 tablespoons) red wine vinegar
125 ml (1/2 cup) cream
240 g (8 oz) butter, cut into small cubes

Beurre Blanc. In a saucepan, place white wine, shallots and vinegar. Reduce to a scant 1 tablespoon. Add cream and reduce to half. Remove saucepan from heat and add butter, one cube at a time, whisking well after each addition. Season with salt and pepper. Set aside in a double boiler, as this sauce is very delicate.

In a skillet, heat butter and olive oil and cook scallops quickly. Season with salt and pepper.

Divide scallops among serving plates, pour the beurre blanc over scallops and garnish with chervil leaves.

CALF SWEETBREADS

4 SERVINGS:

720 g (1 lb 9 oz) calf sweetbreads, cleaned and soaked
60 g (2 oz) butter
125 ml (1/2 cup) white wine
500 ml (2 cups) veal stock
125 ml (1/2 cup) port wine
60 g (2 oz) shallots, minced
240 g (8 oz) mushrooms, quartered
Salt and pepper

Place sweetbreads in boiling water and blanch for 3 minutes. Drop into cold water to firm them up. Pat dry and trim away any membrane and connective tissue. In a skillet, heat butter and sauté sweetbreads until slightly brown. Add shallots, white wine, port wine and veal stock. Season with salt and pepper. Bring to a boil and simmer for 15 minutes.

Remove sweetbreads, add mushrooms and reduce sauce to obtain 250 ml (1 cup). Correct seasoning. Serve with a green vegetable.

TOURNEDOS ROSSINI

POUR 4 PERSONNES

4 tournedos de 150 g (5 oz) chacun
60 g (2 oz) de beurre
60 ml (4 c. à soupe) d'huile d'olive
4 médaillons de foie gras de 30 g (1 oz) chacun
125 ml (1/2 tasse) de madère
250 ml (1 tasse) de fond de veau
60 ml (4 c. à soupe) de jus de truffe
4 croûtons frits, de même diamètre que les tournedos
4 lames de truffe (facultatif)
Sel et poivre

Dans une poêle, chauffer le beurre et l'huile et cuire les tournedos à cuisson désirée. Saler et poivrer. Les retirer et les déposer sur les croûtons frits. Réserver.

Dégraisser la poêle, ajouter le madère et réduire de moitié. Ajouter le fond de veau et le jus de truffe et laisser réduire de moitié. Vérifier l'assaisonnement.

Dans une autre poêle très chaude avec une goutte d'huile, faire cuire très rapidement les médaillons de foie gras. Déposez-les sur les tournedos. Verser la sauce sur le tournedos. Déposer une lame de truffe sur le foie gras.

RELIGIEUSE AU CHOCOLAT

POUR 12 RELIGIEUSES

POUR LA PÂTE À CHOUX:

80 ml (1/3 de tasse) d'eau
125 ml (1/2 de tasse) de lait
1 pincée de sel
2 pincées de sucre
75 g (2 1/2 oz) de beurre
90 g (3 oz) de farine
3 œufs

POUR LA CRÈME PÂTISSIÈRE:

Voir la recette dans la galette à la crème d'amande (page 80) et y ajouter 30 g (1 oz) de poudre de cacao.

POUR LE GLAÇAGE:

60 g (2 oz) de sucre 60 ml (4 c. à soupe) d'eau
30 g (1 oz) de cacao
240 g (8 oz) de fondant que vous trouverez dans certaines épiceries spécialisées.

Préparer la pâte à choux. Dans une casserole, verser l'eau, le lait, le sel, le sucre et le beurre. Porter à ébullition en remuant avec une spatule. Ajouter la farine en une seule fois et tourner énergiquement avec la spatule jusqu'à ce que la pâte soit lisse et homogène, et jusqu'à ce qu'elle se détache des parois et du fond de la casserole. Transférer la pâte dans un bol et ajouter les œufs un à un, en veillant à ce que le premier soit parfaitement incorporé avant d'ajouter le suivant. Quand tous les œufs sont incorporés, la pâte doit alors former un ruban avec la spatule. Mettre les 2/3 de la pâte dans une poche munie d'une grosse douille cannelée. Sur une plaque recouverte d'un papier sulfurisé, déposer 12 gros choux. Avec le reste de la pâte, procéder de la même manière, mais en faisant des petits choux. Cuire entre 20 à 25 minutes dans un four à 190 °C (375 °F). Il est préférable de cuire les petits choux séparément des gros, car bien évidemment les premiers cuiront plus rapidement que les seconds. Déposer les choux sur une grille et les laisser refroidir.

Préparer le glaçage. Dans une casserole, mettre l'eau et le sucre. Porter à ébullition afin de faire un sirop. Dans une autre casserole, chauffer le fondant au bain-marie. Dès qu'il est ramolli, ajouter le cacao, mélanger, puis verser le sirop en mélangeant doucement à l'aide d'une cuillère en bois. Réserver.

Mettre la crème pâtissière dans une poche munie d'une petite douille ronde afin de fourrer les deux sortes de choux par le dessous. Tremper chaque chou dans le fondant et déposer immédiatement un petit choux sur un gros chou.

TOURNEDOS ROSSINI

4 SERVINGS:

4 beef tenderloin
150 g (5 oz) each
60 g (2 oz) butter
60 ml (4 tablespoons) olive oil
4 foie gras medallions 30 g (1 oz) each
125 ml (1/2 cup) Madeira wine
250 ml (1 cup) veal stock
60 ml (4 tablespoons) truffle juice
4 fried croutons, same diameter as tournedos
4 paper-thin truffle shavings (optional)
Salt and pepper

In a skillet, heat butter and oil and sauté tenderloin until cooked to taste. Season with salt and pepper. Remove and place on top of fried croutons. Set aside.

Remove excess fat from skillet. Add Madeira wine and reduce to half. Add veal stock and truffle juice. Reduce to half. Correct seasoning.

In another skillet, heat a small amount of oil and sauté the foie gras slices very quickly. Place one slice on each tenderloin medallion. Pour sauce over tenderloin medallion. Place a truffle shaving on foie gras.

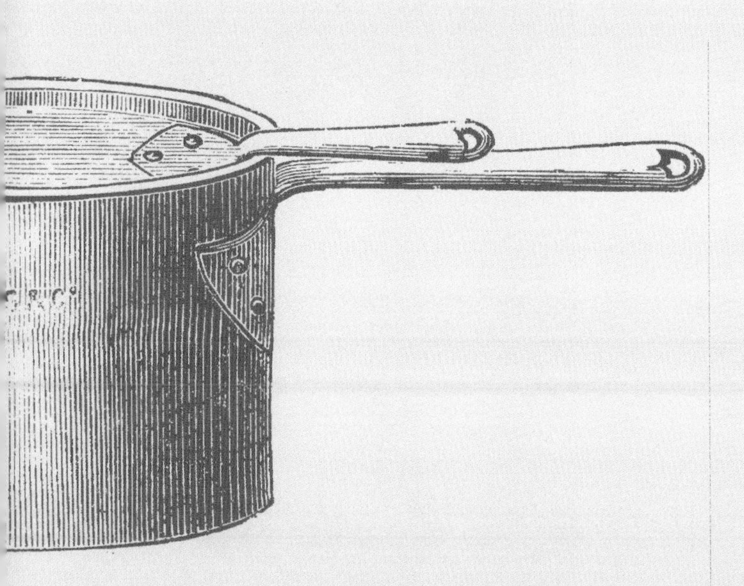

CHOCOLATE CREAM PUFFS

FOR 12 CREAM PUFFS:

FOR THE CREAM PUFFS:

80 ml (1/3 cup) water
125 ml (1/2 cup) milk
1 pinch of salt
15 ml (1 tablespoon) sugar
75 g (2 1/2 oz) butter
90 g (3 oz) flour
3 eggs

FOR THE PASTRY CREAM:

See recipe on page 81 and add 30 g (1 oz) of cocoa powder.

FOR THE GLAZE:

60 g (2 oz) sugar
60 ml (4 tablespoons) water
30 g (1 oz) cocoa powder
240 g (8 oz) melting chocolate available in specialty gourmet stores

Pastry cream. In a medium saucepan bring milk to a boil. Add vanilla bean. In a bowl, beat egg yolks with sugar until thick and pale. Add flour and mix well. Pour hot milk into yolk mixture and whisk. Cook over medium heat, whisking constantly until mixture comes to a boil. Remove from heat and remove vanilla bean. Dot mixture with butter to prevent a skin from forming. Let cool. Set aside.

Cream puffs. In a saucepan, blend milk, salt, sugar and butter. Bring to a boil over low heat, stirring with a spatula. Add flour all at once. Stir vigorously with spatula until mixture pulls away from sides and bottom of pan. Transfer mixture into a bowl and add eggs one at a time, beating thoroughly after each addition. Paste should look smooth and form a ribbon when lifted with spatula. Fit a pastry bag with a large tip and fill with 2/3 of paste. Pipe pastry onto parchment-lined baking sheet, forming 12 large puffs. With the rest of the paste, pipe 12 smaller puffs. Bake in a preheated oven at 190 °C (375 °F) for 20 to 25 minutes. Small puffs should be baked separately, as they will cook more quickly than large puffs. Cool cream puffs on wire rack.

Glaze. In a saucepan, mix water and sugar. Bring to a boil until mixture becomes syrupy. In another saucepan, heat melting chocolate in a double boiler. When chocolate is smooth, add cocoa. Stir and add syrup while mixing with a wooden spoon. Set aside.

Fill pastry bag with pastry cream fitted with a small tip and pipe into a small hole pierced in the bottom of the puff. Dip each puff into melting chocolate and place a small puff over bigger puff.

LE XXe SIÈCLE : Le Château Frontenac

« Il était une fois un Château qui, d'une très haute falaise décrite par certains visiteurs du XVIIIe siècle comme la plus noble et la plus vaste perspective qui soit au monde, dominait un fleuve majestueux. La carte postale… la pièce maîtresse d'une ville… l'hôtel le plus photographié au monde… il n'y a pas assez de superlatif pour en parler ». En 1895, le Chambers Guide consacre cinq pages au Château qu'il qualifie de « *finest hotel in the world* ».

Le site actuel du Château Frontenac sur le Cap-au-Diamant a d'abord été celui de la première forteresse qui a abrité les sentinelles de Samuel de Champlain. La valeur stratégique exceptionnelle de ce lieu avait été reconnue par le fondateur même de la ville qui avait longuement exploré la région avant de s'y établir. Charles Dickens avait d'ailleurs baptisé ce cap le « Gibraltar d'Amérique ». C'est d'abord un modeste logis, construit une première fois en 1620, puis reconstruit en 1626, et qui comprend la résidence de Champlain ainsi que deux corps de logis protégés par une enceinte à deux bastions. Dès 1636, à l'arrivée de Charles Huault de Montmagny, premier gouverneur de la Nouvelle-France, de nouveaux travaux sont entrepris et le fort de Québec est désormais baptisé « Château Saint-Louis ». Détruit, reconstruit, endommagé au fil du XVIIIe siècle, un incendie majeur le 25 janvier 1834 enlève tout espoir de restaurer l'édifice. On le rase afin de permettre la construction d'une « plate-forme » pour le public qui deviendra la Terrasse Dufferin.

En 1890, la compagnie ferroviaire Canadien Pacifique décide d'implanter un nouveau réseau d'hôtels luxueux de part et d'autre du continent. C'est William Van Horne, alors président du conseil de direction, qui a émis le désir de bâtir un hôtel-château dont on parlerait partout dans le monde. Et c'est au personnage flamboyant de Louis de Buade, gouverneur et Comte de Frontenac que l'on songe en 1893 pour immortaliser de son nom le nouveau Château. On peut observer l'écusson de Frontenac sur le mur à l'extérieur de l'arche d'entrée de l'hôtel. L'architecte choisi par les barons de la haute finance canadienne qui financent l'érection de cet hôtel de grand luxe sur l'emplacement de l'historique Château Saint-Louis n'est nul autre que l'Américain Bruce Price (le père d'Emily Post). Il est désormais célèbre pour ses gratte-ciel new-yorkais et vient de réaliser la gare Windsor de Montréal dans un style d'inspiration romane-médiévale qui a fait grande impression auprès des patrons du Canadien Pacifique. C'est à lui

The Château Frontenac and the XXth CENTURY

"Once upon a time, there was a splendid chateau that looked out over a majestic river from a lofty cliff with what some XVIIIth century visitors described as the broadest and most noble view in the world. The postcard... the dominant feature of a city... the most often photographed building in the world... there are no words to describe it." In its 1895 publication, the Chambers Guide devoted an entire five-page spread to the Château; it declared it to be the "*finest hotel in the world*".

The actual location of the Château Frontenac atop Cap-au-Diamant initially held the first fortress that served as a guardhouse for the sentries of Samuel de Champlain. The founder of the city had long ago acknowledged the exceptional strategic location of this site after having explored the region at length before finally settling in this spot. Earlier, Charles Dickens had christened this outcrop "the Gibraltar of America". It first came to life as a modest home built in 1620. Six years later, it was rebuilt and enclosed the residence of Sieur de Champlain along with two blocks of dwellings within a compound protected by two bastions. In 1636, with the arrival of Charles Huault de Montmagny, first Governor of Nouvelle-France, renovations were undertaken and the fort of Quebec is henceforth known as "Château Saint-Louis". Throughout the XVIIIth century, the Château was destroyed, rebuilt and damaged. A major fire broke out on January 25, 1834, which left little hope for its restoration. It was finally torn down to make way for the construction of a 'platform' intended for public use, a structure that became known as Dufferin Terrace.

In 1890, the Canadian Pacific Railway resolved to lay out construction of a network of luxury hotels from one end of the country to the other. At that time, William Van Horne was President of the Board of Directors; he expressed the wish to build a palace-hotel what would be the "talk of the town" throughout the world! Thoughts turned to Louis de Buade, the colourful Governor and Count of Frontenac to immortalize this new Château in 1893. Today, the coat of arms of Frontenac sculpted on the exterior facade of the archway entrance of the hotel bears witness to this notable individual. The lords of Canadian finance who invested in the construction of this luxury hotel on the site of the historic Château Saint-Louis invited American architect Bruce Price (the father of Emily

que l'on doit l'architecture canadienne dite de style « château », un croisement entre les châteaux de la Loire et les manoirs écossais. Le bâtiment comptait à l'époque 170 chambres, dont trois suites. Au fil des décennies, il n'a cessé de grandir, de grossir, de se transformer notamment avec l'addition en 1920/1924 de la tour centrale, jusqu'au dernier agrandissement en 1993 avec l'Aile Claude Pratte, comprenant une piscine et un centre sportif.

Château Frontenac, vue extérieure *Château Frontenac, view from outside*

Le Château n'a cessé de s'embellir ces dernières années, particulièrement avec les rénovations des 620 chambres afin qu'il soit prêt pour le 400e anniversaire de la ville et son propre 115e anniversaire. Il compte aujourd'hui au nombre des sites les plus importants de l'histoire architecturale de notre pays et a été désigné « joyau du patrimoine mondial » par l'UNESCO. Un brin altier, il est aujourd'hui perçu comme une figure emblématique et ambassadrice de la ville de Québec.

Depuis l'ouverture de l'hôtel, la bonne chère est indiscutablement liée à l'image de qualité non seulement de l'établissement mais aussi de la ville où l'on cultive l'art de vivre. Du premier buffet préparé par le chef Henri Journet pour une « certaine soirée » du 20 décembre 1893, aux repas servis à tous les hauts dignitaires, les rois et les reines, en passant par les Conférences de Québec de 1943 / 1944 auxquelles participent Roosevelt, Churchill et Mackenzie King, aux vedettes de cinéma, ou du spectacle comme Bing Crosby et Alfred Hitchcock en passant par les personnages politiques tels que le Général de Gaulle, Ronald Reagan et François Mitterand, le Château est le phare de la gastronomie et de l'élégance à Québec.

Que retrouve-t-on sur les menus à travers les décennies ? Les menus conservés au Château depuis l'ouverture proposent des plats basés sur le style et la méthode d'Escoffier. Ce grand chef français fut un créateur ; il a su sortir la cuisine de ce faste ostentatoire élaboré par Carême, cette cuisine développée jusqu'à l'extrême théâtralité. Escoffier réforma les méthodes de travail en cuisine, en rationalisant la répartition des tâches dans la brigade et en veillant à

Château Frontenac, salle à manger

Château Frontenac, dining room

Post) to head this formidable undertaking. The celebrated architect, renowned for his spectacular New York skyscrapers, had recently drawn up the plans for Windsor Station in Montreal that he designed in Romanesque medieval style and which truly impressed the barons of the Canadian Pacific Railway. Bruce Price was also the mastermind behind the Canadian architectural style known as "château", a cross between the chateau of the Loire valley and the Scottish manor. In the beginning, the building held 170 rooms, three of which were suites. Throughout the next decades, it continued to grow, to become grander and to evolve, namely with the central tower affixed to the building between 1920 and 1924. The final expansion took place in 1993 with the addition of the Claude Pratte wing that housed a pool and sports facility. The Château has continued to grow more beautiful during the course of the last decades, particularly with renovations made to the 620 rooms in preparation for the 400th anniversary of Quebec and its own 115th year of existence. Today, Château Frontenac stands as one of the foremost tributes to the architectural history of our country. It has been designated by UNESCO as a "jewel of world heritage". Today, this rather proud edifice is considered an emblematic figure and an ambassador of the City of Quebec.

From the time the hotel opened its doors, good food was unquestionably linked to the image of quality of the establishment itself as well as that of the city where the art of living was a cultural attraction in its own right. From the first buffet created by chef Henri Journet on the occasion of a "special soirée" on December 20, 1893 to meals served to dignitaries, kings and queens as well as special events such as the Quebec Conferences of 1943-1944 that brought to the city such eminent politicians as Roosevelt, Churchill and Mackenzie King. Artists of the silver screen and the entertainment world such as Bing Crosby, and Alfred Hitchcock walked through the Château's doors as did prominent politicians such as General de Gaulle, Ronald Reagan and François Mitterand. The Château Frontenac is a beacon of elegance and gastronomy in Quebec.

What did the menu feature throughout the decades? The menus which the Château has preserved in its archives since its opening offer dishes founded on the style and methods of the great Escoffier. This distinguished French chef was a veritable inventor. He brought cuisine out of the ostentatious splendour and theatrical excess fashioned by Carême by reforming kitchen work methods, simplifying division of duties among kitchen crew, and sustaining the prominence of the chef. Together with other well-known culinary figures such as Montagné, Caillat, and Gilbert, he presided over the coding and standardization of cooking; he suggested various techniques, identified procedures, and recommended pairing or specific use of ingredients.

As we look at the menus over the years, we can perceive in them this same desire to use country foods, or as we use in today's vernacular, products of the 'terroir', namely turkeys from Valcartier, Saguenay River salmon, oysters from the Baie-des-Chaleurs, to name but a few. Among the classic dishes, we cannot fail to recognize the ubiquitous country pea soup, and of course, we cling to such English favourites as roast ribs of prime beef, Yorkshire pudding, as well

Suggestions

Coquetels

Sherry Flip	.45
Vermouth	.35
Champagne	.75

Vins

	Pts
Le Vallon, Extra Dry 1928	5.25
Pommery Sec	6.00
Mumm's Extra Dry	6.25
Red Cap Chauvenet	4.25
Château Gai	3.25
Pommard Chauvenet	3.00
White Flag Chauvenet	2.75
Rudesheim 1930	2.25
Chianti	1.75
St. Julien B & G	2.00
Hautes Côtes	1.10
Convido Port	3.50
Sandeman's Sherry	2.75

Bières et Ales

	Chop
O'Keefe's Old Vienna	.30
Dow's Old Stock Ale	.25
Dow's Crown Stout	.30
Dawes' Black Horse Ale	.25
Dawes' Kingsbeer	.25
Labatt's Crystal Lager	.25
Labatt's India Pale Ale	.25
Labatt's Stock Ale	.30
Frontenac Blue Label	.30
Frontenac Export Ale	.25
Molson's Export Ale	.25
Carling's Black Label	.25
Carling's Red Cap	.25
Boswell's Ale	.20
Boswell's Porter	.20
Boswell's B. B. Lager	.20
Champlain Ale	.20
Champlain Porter	.20
Bass's Ale	.60
Guinness' Stout	.60

Limonades

	Verre
Jus de Raisin	.25
Limonade	.25
Limonade-Soda	.25
Orangeade Fraiche	.25
Limonade-Claret	.30
Limonade aux Fruits	.30

Les Bières et Vins ne seront pas servis les Dimanches entre 3 et 5 hres p.m. et après 9 hrs p.m.

Table d'Hôte

Déjeuner à la Fourchette

LE PRIX INDIQUE LE COÛT DU REPAS ENTIER

Jus d'Ananas Rafraîchi

Essence de Tomate, Chaude ou en Gelée — Potage de Clovisses, Canadienne

Soupe aux Pois, Habitant

Poisson Blanc du Lac Supérieur, Meunière, Tranches de Concombre 1.00

Steak de Flétan au Four, Créole 1.10

Omelette au Fromage avec Pointes d'Asperges .85

Langue de Bœuf Bouillie avec Choucroute, Alsacienne 1.00

Côtelette d'Agneau Anglaise Grillée aux Champignons, Pommes Paille 1.20

Rôti de Jeune Veau avec Farce à la Sauge, Compote de Fruits 1 15

Saumon de Gaspé Froid avec Sauce Verte, Salade Parisienne 1.00

Salade de Volaille avec Tomate et Oeuf Dur .90

Epinards Frais à la Crème — Haricots Jaunes Frais

Pommes de Terre Mont d'Or ou Bouillies

Pouding Cabinet, Sauce Sabayon — Tarte épaisse aux Bleuets

Bavaroise Normande — Sorbet au Citron — Fromage Kraft

Raisins — Pruneaux Frais — Crème Glacée à la Vanille

Thé — Café — Lait

Servi dans la Grande Salle à Manger seulement

1 septembre 1939 — **De midi à 2 p.m.**

Table d'Hôte

Luncheon

PRICE INDICATES COST OF COMPLETE MEAL

Chilled Pineapple Juice

Essence of Tomato, Hot or Jellied — Canadian Clam Chowder

Pea Soup, Habitant

Lake Superior Whitefish, Meunière, Sliced Cucumber 1.00

Baked Halibut Steak, Créole 1.10

Cheese Omelet with Asparagus Tips .85

Boiled Ox Tongue with Sauerkraut, Alsacienne 1.00

Grilled English Lamb Chop with Mushrooms, Straw Potatoes 1 20

Roast Young Veal with Sage Dressing, Compote of Fruit 1.15

Cold Gaspé Salmon with Green Sauce, Parisian Salad 1 00

Chicken Salad with Tomato and Hard Boiled Egg .90

Creamed Fresh Spinach — Fresh Wax Beans

Mont d'Or or Boiled Potatoes

Cabinet Pudding, Sabayon Sauce — Deep Blueberry Pie

Bavaroise Normande — Lemon Sherbet — Kraft Cheese

Grapes — Fresh Plums — Vanilla Ice Cream

Tea — Coffee — Milk

Served in Main Dining Room Only

September 1, 1939

From noon to 2 P.M.

Suggestions

Cocktails

Sherry Flip	.45
Vermouth	.35
Champagne	.75

Wines

	Qts
Le Vallon, Extra Dry 1928	5.25
Pommery Sec	6.00
Mumm's Extra Dry	6.25
Red Cap Chauvenet	4.25
Château Gai	3.25
Pommard Chauvenet	3.00
White Flag Chauvenet	2.75
Rudesheim 1930	2.25
Chianti	1.75
St. Julien B & G	2.00
Hautes Côtes	1.10
Convido Port	3.50
Sandeman's Sherry	2.75

Beers and Ales

	Pts
O'Keefe's Old Vienna	.30
Dow's Old Stock Ale	.25
Dow's Crown Stout	.30
Dawes' Black Horse Ale	.25
Dawes' Kingsbeer	.25
Labatt's Crystal Lager	.25
Labatt's India Pale Ale	.25
Labatt's Stock Ale	.30
Frontenac Blue Label	.30
Frontenac Export Ale	.25
Molson's Export Ale	.25
Carling's Black Label	.25
Carling's Red Cap	.25
Boswell's Ale	.20
Boswell's Porter	.20
Boswell's B. B. Lager	.20
Champlain Ale	.20
Champlain Porter	.20
Bass's Ale	.60
Guinness' Stout	.60

Lemonades

	Glass
Grape Juice	.25
Lemonade Plain	.25
Lemonade Soda	.25
Fresh Orangeade	.25
Claret Lemonade	.30
Fruit Lemonade	.30

No Beers and Wines will be served on Sundays between the hours of 3 to 5 p.m. and after 9 p.m.

l'image de marque du cuisinier. Il préside avec quelques autres chefs, Montagné, Caillat, Gilbert, aux premières codifications et standardisations de la cuisine ; il propose des techniques, nomme des procédés, suggère des associations ou des utilisations spécifiques d'ingrédients.

En poursuivant l'étude des menus, nous retrouvons au fil des ans, cette même volonté d'utiliser les produits de proximité ou, comme on dit aujourd'hui, les produits du terroir: les dindes de Valcartier, le saumon du Saguenay, les huîtres de la Baie-des-Chaleurs... etc. Parmi les classiques, la soupe aux pois habitants est omniprésente. On conserve bien sûr quelques incontournables de la cuisine anglaise: roast ribs of prime beef, yorkshire pudding; ou américain :chocolate Boston Pie ou le cheese cake et nombre d'autres raffinements gastronomiques particulièrement appréciés de la clientèle.

À l'époque où le Château passe de projet à réalité, les restaurants en vogue étaient ceux des grands hôtels de Québec et de Montréal. L'Hôtel Clarendon, ouvert en 1817, figure au nombre des illustres établissements et accueille les gens de la haute société dans la somptuosité de sa salle à manger. Au Château, les chefs se succèdent, et apportent, tous à leur manière, une pierre à l'édifice. Le premier, Henry E. Journet qui a ouvert les cuisines du Château en décembre 1893, est un chef réputé qui a officié dans les maisons les plus sélectes de Paris, Londres et Amsterdam. Son remplaçant en 1910 est celui dont on dit qu'il fut « un de ces généraux de brigade qui a laissé son empreinte pendant plus de trente ans à la tête des cuisines, et qui a servi les plus grands », Louis Baltéra. Après avoir débuté sa carrière dans les meilleurs établissements des grandes capitales européennes, il se joint au personnel du Netherlands Hotel de New York, avant que sa réputation ne le conduise aux grands hôtels que sont le Astor, le Crescent Athletic Club de Brooklyn et surtout le très chic Waldorf Astoria. En 1908, il est invité aux célébrations du tricentenaire de la ville de Québec. Séduit par l'esprit des lieux, il revient en 1910, cette fois définitivement, et s'installe au Château. Véritable virtuose de la fine cuisine, monsieur Baltéra a également beaucoup innové en donnant ses lettres de noblesse à la cuisine québécoise à une époque où le produit local n'a qu'une connotation folklorique. Son influence a également suscité de nombreuses vocations à l'intérieur de sa brigade d'origine québécoise. Son talent, d'ailleurs, sera reconnu bien au-delà des cuisines du Château Frontenac. Mentionnons également Christian Hitz qui officia au Château de 1954 à 1966 et qui laissa aussi sa marque dans les annales gastronomiques du Château.

Le Château fait son entrée dans le XXIe siècle, comme un jeune premier, tout endimanché des dernières grandes rénovations. Cette icône qui a traversé le XXe siècle en laissant une empreinte de grand savoir-faire, restera à n'en pas douter l'exemple des choses bien faites, ou tout simplement la fierté d'une ville et ne cessera jamais de faire rêver.

Château Frontenac, vue extérieure

CHEFS AU CHÂTEAU FRONTENAC:

HENRY E. JOURNET (1893-1910),
LOUIS BALTÉRA (1910-1940),
M. ROEBLING (1945-1954),
CHRISTIAN HITZ (1954-1966),
OSCAR HANSELMAN (1966-1975),
MICHEL LALLEMAND (1975-1978),
MARCEL PODOREIZAK (1978),
MICHEL DAUBLAIN (1978-1980),
REYNALD BRETON (1980-1982),
HANS BURRY (1983),
MAURICE OLAÏZOLA (1983-1985),
DANIEL MICHEL (1985),
ANDRÉ BUTTIER (1986-1991),
JEAN-FRANCOIS MOTTS (1991-1993),
JEAN SOULARD (1993...)

Château Frontenac, view from outside

CHEFS OF THE CHÂTEAU FRONTENAC

HENRY E. JOURNET (1893-1910),
LOUIS BALTÉRA (1910-1940),
M. ROEBLING (1945-1954),
CHRISTIAN HITZ (1954-1966),
OSCAR HANSELMAN (1966-1975),
MICHEL LALLEMAND (1975-1978),
MARCEL PODOREIZAK (1978),
MICHEL DAUBLAIN (1978-1980),
REYNALD BRETON (1980-1982),
HANS BURRY (1983),
MAURICE OLAÏZOLA (1983-1985),
DANIEL MICHEL (1985),
ANDRÉ BUTTIER (1986-1991),
JEAN-FRANCOIS MOTTS (1991-1993),
JEAN SOULARD (1993...)

as the much-loved American chocolate Boston cream pie, cheese cake and a wide assortment of gastronomic delights the clients appreciated so dearly.

In the period during which the Château went from dream to reality, other fashionable restaurants could be found in the prestigious hotels of Montreal and Quebec. The Clarendon hotel opened its doors in 1817 and figured prominently among illustrious establishments of the times; it was host to Quebec gentry in its sumptuous dining room. The Château Frontenac's cuisine saw a succession of chefs; each one adding his own emblem to the palace. Henry E. Journet was the first to open the kitchens of the Château in December 1893. He was a renowned chef who had worked in the most select restaurants of Paris, London and Amsterdam. In 1910, his successor, Louis Baltéra, had already acquired a reputation as "one of those brigadier generals who, for 30 years, left his mark in the kitchen and who served many of the illustrious and famous." He embarked on his career working in a number of excellent restaurants in the major capitals of Europe. Baltéra later joined the staff of the Netherlands Hotel in New York. His brilliant reputation led him to various grand hotels such as the Astor, Brooklyn's Crescent Athletic Club and of course, the very posh Waldorf Astoria. In 1908, he was invited to attend the Tercentennial celebrations of the City of Quebec. Attracted to the atmosphere of the city, he returned there permanently in 1910 and settled into his post at the Château. Chef Baltéra was a culinary prodigy who innovated while endeavouring to extend letters of nobility to Québécois cuisine at a time when country products were little more than a myth in the minds of the public. He had a far-reaching influence on members of his Québécois culinary staff. Moreover, his talent was later acclaimed beyond the hotel's kitchens.

After Mr. Baltéra's departure, Christian Hitz carried out official duties as chef of the Château from 1954 to 1966. He made his mark as a fine gastronome throughout his years at the hotel.

The Château Frontenac entered the XXIst century as a young debutante, all dressed up in its most recent renovations. This architectural icon which has passed through the XXth century leaving in its trail a rich history of savoir-faire, will, no doubt, remain a solid example of things well done or simply the pride of a city, and will not cease to be a dream-maker.

LA SOUPE AUX POIS HABITANT (1909)

POUR 10 PERSONNES :

450 g de pois blancs secs (variété coco)
120 g (3 oz) de lard salé
90 g (3 oz) de carottes, coupées en morceaux
90 g (3 oz) d'oignon, coupé en morceaux
1 branche de céleri, coupée en morceaux
1 bouquet garni
Sel et poivre

Dans un grand bol, faire tremper les pois recouvert d'eau froide pendant 12 heures. Faire la même chose avec le morceau de lard salé.

Blanchir le lard en le plongeant dans l'eau bouillante pendant 3 à 4 minutes afin de le dessaler. Égoutter les pois et les faire blanchir pendant 2 à 3 minutes dans l'eau bouillante. Égoutter à nouveau, les remettre dans une casserole et recouvrir d'eau froide. Ajouter les carottes, les oignons, le céleri, le bouquet garni et le morceau de lard dessalé. Mettre à cuire à petit feu pendant 1 h 30 environ, sans jamais bouillir et sans avoir ajouter de sel (le sel durcit les pois à la cuisson).

À la fin de la cuisson lorsque les pois sont devenus tendres, retirer le morceau de lard et le couper en petits dés. Saler et poivrer. Remettre les dés de lard dans la soupe. Cuire quelques minutes et vérifier l'assaisonnement.

SAUMON DE GASPÉ FROID - SAUCE VERTE (1939)

POUR 4 PERSONNES :

4 portions de saumon de 150 g (5 oz) chaque
Branches de persil (décoration)
Tranches de citron (décoration)

POUR LE COURT BOUILLON :

250 ml (1 tasse) de vin blanc
1 oignon, coupé en morceaux
1 carotte, coupée en morceaux
1 bouquet garni
Quelques grains de poivre
Gros sel

SAUCE VERTE :

60 g (2 oz) de cresson
60 g (2 oz) d'épinard, équeuté
Quelques branches de persil
Quelques tiges de ciboulette
250 ml (1 tasse) de mayonnaise
Sel et poivre

Faire le court-bouillon en mettant à bouillir 500 ml (2 tasses) d'eau, le vin blanc, la carotte, l'oignon, le bouquet garni, le poivre et le gros sel. Laisser frémir 10 minutes.

Pocher le saumon en laissant frémir dans le court-bouillon. À la fin de la cuisson, le retirer, l'égoutter et le laisser refroidir. Réserver.

Faire la sauce verte. Jeter dans l'eau bouillante pendant une minute le cresson, les épinards, le persil et la ciboulette. Rafraîchir sous l'eau froide et presser dans un linge afin de bien égoutter. Mélanger avec la mayonnaise, vérifier l'assaisonnement.

Dresser dans une assiette et décorer avec du persil et des tranches de citron. Autrefois, ce saumon était servi avec une salade parisienne qui se composait d'une macédoine de légumes additionnée de petits morceaux de homard.

PEA SOUP (1909)

10 SERVINGS:

450 g (1 lb) white beans (coco bean variety)
120 g (3 oz) lard
90 g (3 oz) carrots, chopped
90 g (3 oz) onions, chopped
1 celery stalk, cut into cubes
1 herb bouquet
Salt and pepper

In a large bowl, cover beans with cold water and soak for 12 hours. Also soak bacon.

Blanch lard in boiling water 3 to 4 minutes to remove salt.

Drain beans and blanch in boiling water 2 to 3 minutes. Drain and place in a stockpot. Cover with cold water. Add carrots, onions, celery, herb bouquet and lard. Simmer at low heat for approximately 1 hour 30 minutes. Do not let mixture boil and do not add salt, otherwise beans will harden.

When beans are cooked, remove lard and cut into small pieces. Season with salt and pepper. Return lard pieces to soup. Cook for a few minutes and correct seasoning.

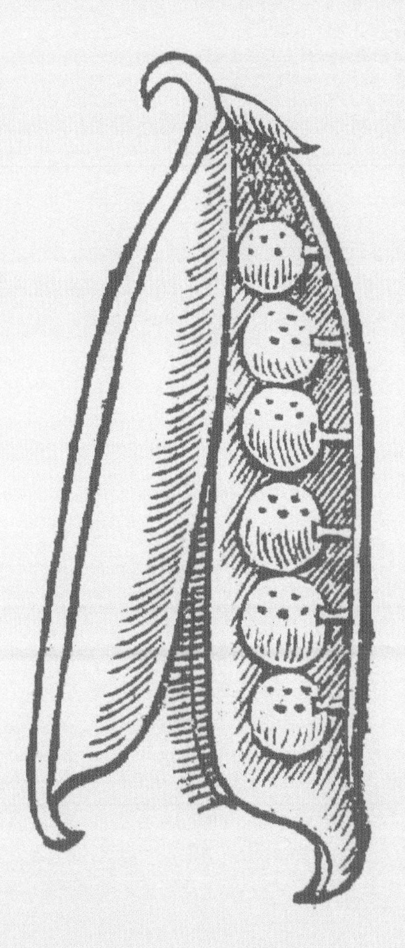

GASPÉ SALMON – GREEN SAUCE (1939)

4 SERVINGS:

4 portions of salmon
150 g (5 oz) each
Parsley (for garnish)
Lemon slices (for garnish)

COURT BOUILLON:

250 ml (1 cup) white wine
1 onion, chopped
1 carrot, diced
1 herb bouquet
Peppercorns
Coarse salt

GREEN SAUCE:

60 g (2 oz) watercress
60 g (2 oz) spinach, stems removed
Parsley
Chives
250 ml (1 cup) mayonnaise
Salt and pepper

Court-bouillon: In a saucepan combine 500 ml (2 cups) water, white wine, carrot, onion, herb bouquet, peppercorns and coarse salt. Simmer for 10 minutes.

Poach salmon in court bouillon for a few minutes. Remove salmon, drain and set aside to cool.

Sauce: In a saucepan, boil water and immerse watercress, spinach, parsley and chive. Drain boiling water and replace with cold water. Remove herbs and pat dry. Mix with mayonnaise and correct seasoning.

Place salmon in a presentation plate and garnish with parsley and lemon slices.

Traditionally, this salmon was served with a salad consisting of diced vegetables mixed with small chunks of lobster.

LE FILET DE BŒUF WELLINGTON – SAUCE BÉARNAISE (1973)

POUR 8 PERSONNES

Un filet de bœuf paré de 1,2 kg (2 lb 10 oz)
60 ml (4 c. à soupe) d'huile d'olive
60 g (2 oz) de beurre
600 g (1 lb 5 oz) de pâte feuilletée
180 g (6 oz) de tranche de foie gras
1 jaune d'œuf
Sel et poivre

POUR LA DUXELLES :

240 g (8 oz) de champignons, hachés
60 g (2 oz) d'échalotes, hachées
30 g (1 oz) de beurre
30 g (1 oz) d'huile
Sel et poivre

SAUCE BÉARNAISE :

60 ml (4 c. à soupe) de vinaigre de vin rouge
5 g (1 c. à café) de poivre concassé
60 g (2 oz) d'échalotes, hachées
240 g (8 oz) de beurre clarifié
3 jaunes d'œuf
4 branches d'estragon
Sel

Dans une poêle, chauffer le beurre et l'huile et faire colorer la pièce de bœuf. Saler et poivrer.

Préparer la duxelles en faisant revenir les échalotes hachées dans du beurre et de l'huile. Ajouter les champignons hachés, saler et poivrer et cuire doucement jusqu'à ce que l'eau de cuisson des champignons soit résorbée. Réserver.

Étaler la pâte feuilletée en formant un grand rectangle. Y déposer le filet de bœuf sur lequel on placera les tranches de foie gras et ensuite la duxelles de champignons. Enrober le filet de bœuf avec la pâte feuilletée et souder les côtés et les bouts. Badigeonner la pâte avec le jaune d'œuf. Déposer sur une plaque et enfourner pendant environ 30 à 35 minutes à 190 °C (375 °F).

Faire la sauce béarnaise. Dans une casserole, mettre le vinaigre, un volume identique d'eau, le poivre concassé et les échalotes. Faire réduire à sec, c'est-à-dire jusqu'à complète évaporation du liquide. Laisser refroidir. Transférer la réduction dans un bol et ajouter les jaunes d'œuf. Mettre le bol dans un bain-marie et fouetter énergiquement jusqu'à l'obtention d'une consistance onctueuse. Ajouter doucement le beurre clarifié, toujours en fouettant. Ajouter l'estragon et le sel.

FILET D'AGNEAU SOUS CROÛTE DORÉE (1993)

POUR 4 PERSONNES

2 carrés d'agneau d'environ 675 g (1 1/2 lb)
45 ml (2 c. à soupe) d'huile d'olive
30 g (1 oz) de beurre
5 g (1 c. à café) de thym, haché
240 g (8 oz) de feuilles d'épinard, équeutées
30 g (1 oz) d'échalotes, hachées
1 gousse d'ail, hachée
4 feuilles de pâte filo
30 g (1 oz) de beurre clarifié
4 tranches de prosciutto
Sel et poivre

POUR LE JUS D'AGNEAU :

Les os des deux carrés d'agneau
60 ml (4 c. à soupe) d'huile d'olive
1 petit oignon, coupé en morceaux
1 petite carotte, coupée en morceaux
1 tomate, coupée en morceaux
1 petit bouquet garni
375 ml (1 1/2 tasse) de vin rouge
1 1/2 l (6 tasses) d'eau
Sel et poivre

Désosser, dégraisser et dénerver les carrés d'agneau afin d'en retirer les deux filets et les os.

Faire le jus d'agneau. Dans une casserole, chauffer l'huile et faire revenir les os jusqu'à coloration. Ajouter les légumes et cuire 5 minutes. Ajouter le vin rouge, l'eau et le bouquet garni. Saler et poivrer. Porter à ébullition et laisser mijoter pendant 1 heure jusqu'à réduction d'environ 250 ml (1 tasse). Filtrer dans une passoire et réserver.

Dans une poêle, chauffer le beurre et l'huile et colorer les deux filets pendant 2 à 3 minutes. Poivrer et parsemer le thym. Réserver.

Dans une poêle, chauffer du beurre et de l'huile. Faire revenir les échalotes et l'ail haché. Ajouter les épinards et laisser tomber pendant 1 à 2 minutes. Saler et poivrer. Réserver.

À l'aide d'un pinceau, badigeonnez deux feuilles de pâte filo avec le beurre clarifié. Couper les feuilles en deux et les superposer.

Enrouler les tranches de prosciutto autour des filets d'agneau. Placer ces rouleaux sur la pâte filo, recouvrir de la préparation d'épinards et enrouler le tout dans la pâte filo. Placer sur une plaque et enfourner à 175 °C (350 °F) pendant 15 à 20 minutes.

Les filets seront tranchés en rondelles et servis avec des chips de pomme de terre bleues. Verser la sauce dans le fond de l'assiette.

BEEF WELLINGTON – BÉARNAISE SAUCE (1973)

8 SERVINGS:

One beef filet 1,2 kg (2 lb 10 oz)
60 ml (4 tablespoons) olive oil
60 g (2 oz) butter
600 g (1 lb 5 oz) puff pastry
180 g (6 oz) foie gras, sliced
1 egg yolk
Salt and pepper

DUXELLES:

240 g (8 oz) mushrooms, chopped
60 g (2 oz) shallots, minced
30 g (1 oz) butter
30 g (1 oz) oil
Salt and pepper

BÉARNAISE SAUCE:

60 ml (4 tablespoons) red wine vinegar
5 g (1 tablespoon) crushed peppercorns
60 g (2 oz) shallots, minced
240 g (8 oz) clarified butter
3 egg yolks
4 tarragon sprigs
Salt

In a skillet, heat butter and oil and brown beef on all sides. Season with salt and pepper.

Duxelles. In a medium sauté pan, heat butter and oil. Add shallots and cook one minute. Add mushrooms. Season with salt and pepper. Cook over low heat until all the moisture has evaporated from mushrooms. Set aside.

Roll out puff pastry to form a large rectangle. Place beef filet in the centre. Place the foie gras slices on top of beef and cover with duxelles. Wrap puff pastry around filet; seal sides and ends. Glaze pastry with egg yolk. Place on a baking sheet and cook in a preheated oven at 190 °C (375 °F) for 30 to 35 minutes.

Béarnaise sauce. In a saucepan, pour vinegar, same amount) of water; add crushed peppercorns and shallots. Reduce until liquid has almost completely evaporated. Let cool. Transfer reduction in a bowl and whisk in egg whites. Place bowl over a double boiler and whisk vigorously until smooth. Add clarified butter while whisking slowly. Add tarragon and salt.

LAMB FILET IN A GOLDEN CRUST (1993)

4 SERVINGS:

2 racks of lamb, approx. 675 g (1 1/2 lb)
45 ml (2 tablespoon) olive oil
30 g (1 oz) butter
5 g (1 tablespoon) thyme, chopped
240 g (8 oz) spinach, stems removed
30 g (1 oz) shallots, minced
1 garlic clove, chopped
4 sheets of filo pastry
30 g (1 oz) clarified butter
4 prosciutto slices
Salt and pepper

LAMB STOCK:

Bones from the 2 racks of lamb
60 ml (4 tablespoons) olive oil
1 small onion, chopped
1 small carrot, diced
1 tomato, diced
1 small herb bouquet
375 ml (1 1/2 cup) red wine
1 1/2 l (6 cups) water
Salt and pepper

Debone, remove excess fat and tendons from lamb to retrieve tenderloins and bones.

Lamb stock. In a stockpot, heat oil and sauté bones until brown. Add vegetables and cook 5 minutes. Add red wine, water and herb bouquet. Season with salt and pepper. Bring to a boil and simmer for 1 hour to obtain 250 ml (1 cup) of stock. Strain and set aside.

In a skillet, heat butter and oil and brown two tenderloins for 2 to 3 minutes. Season with pepper and sprinkle with thyme. Set aside.

In a skillet, heat butter and oil. Sauté shallots and garlic. Add the spinach and cook for 1 to 2 minutes. Season with salt and pepper. Set aside.

Brush two filo pastry sheets with clarified butter. Cut sheets into two sections and place atop one another.

Wrap prosciutto around tenderloins. Place on filo pastry. Cover with spinach mixture and wrap in filo pastry. Place on a baking sheet and bake in a preheated oven at 175 °C (350 °F) 15 to 20 minutes.

Slice tenderloins and serve with blue potato chips. Pour sauce into serving platter.

LE CARPACCIO DE CANTALOUP À L'HUILE DE CORIANDRE – CRÈME GLACÉE AU SAFRAN (2008)

POUR 4 PERSONNES

1 melon cantaloup ou charentais

POUR LA CRÈME GLACÉE AU SAFRAN:

375 ml (1 1/2 tasse) de lait
20 pistils de safran
3 jaunes d'œuf
60 g (2 oz) de sucre

POUR L'HUILE DE CORIANDRE:

125 ml (1/2 tasse) d'huile d'olive
30 ml (2 c. à soupe) de miel
1 bouquet de coriandre frais, haché
Le jus d'un demi-citron

Préparer la crème glacée. Dans une casserole, faire bouillir le lait avec les pistils de safran. Dans un bol, fouetter les jaunes avec le sucre et ajouter le lait sans cesser de battre. Verser le tout dans une casserole et cuire à feu doux en remuant avec une cuillère de bois, sans jamais atteindre l'ébullition, car la sauce tournerait. Laisser refroidir et verser dans une sorbetière afin de faire prendre la crème glacée. Réserver au congélateur.

Éplucher, couper en deux et épépiner le melon. Couper en tranches très fines et disposer ces tranches en forme de rosace dans le fond de chaque assiette. Réserver au frais.

Faire l'huile de coriandre en mélangeant dans un bol l'huile d'olive, le miel, le jus de citron et la coriandre hachée. Réserver au réfrigérateur.

Au moment de servir, déposer la crème glacée au safran au centre de la rosace de melon et verser l'huile de coriandre sur le tout. Servir aussitôt.

CARPACCIO OF CANTALOUP WITH CILANTRO OIL – SAFFRON ICE CREAM (2008)

4 SERVINGS:

1 cantaloup

SAFFRON ICE CREAM:

375 ml (1 1/2 cup) milk
20 saffron stigmas
3 egg yolks
60 g (2 oz) sugar

CILANTRO OIL:

125 ml (1/2 cup) olive oil
30 ml (2 tablespoons) honey
1 bunch of fresh cilantro, chopped
Juice of half a lemon

Ice cream. In a saucepan, bring milk to a boil and add saffron. In a bowl, beat yolks with sugar. Whisk in milk. Pour mixture into a saucepan and simmer over low heat. Keep turning mixture with a wooden spoon without letting it reach boiling point. Let cool and pour into an ice cream maker.

Peel melon and cut in half. Remove seeds and cut into very thin slices. Place slices in a serving plate. Refrigerate.

Cilantro oil. In a bowl, blend olive oil, honey, lemon juice and cilantro. Refrigerate.

When ready to serve, garnish with saffron ice cream and pour cilantro oil over melon and ice cream. Serve immediately.

La restauration à Québec

Au tournant du siècle, sous l'influence d'Escoffier (paradoxalement chef de l'hôtel Savoy à Londres), la cuisine française fait un retour en force en terre québécoise après que l'on se soit lassé du manque de renouvellement et d'imagination de la cuisine britannique jugée monotone, sans surprise et souvent composée de plats surcuits. S'imposa alors peu à peu la cuisson séparée des aliments et le développement d'une maîtrise de la concoction des sauces. On se passe le mot et l'on s'échange progressivement les techniques nouvellement apprises, ce qui permet au Québec de se démarquer à travers son héritage à la fois francophone et son occidentalité à saveur américaine.

Au début du XXe siècle, les restaurants de Québec les plus florissants, hormis ceux des hôtels, sont situés au cœur du quartier des affaires le long de la rue Saint Pierre, le « Wall Street » de Québec. Les hommes d'affaires qui travaillent dans les bureaux, les agences et les banques constituent leur principale clientèle. Ces restaurants d'allure britannique sont constitués de deux sections séparées l'une de l'autre : la salle à manger et le bar où l'on offre tous les alcools à la mode ainsi que les meilleurs cigares. Le personnel de salle, en long tablier blanc, les manches de chemises retroussées au dessus des coudes, s'active et distribue steak, rosbifs et darnes de saumon. Le « Quebec Snow Shoe Restaurant », le « Boivert », le « Commercial » sont des restaurants à la mode qui attirent essentiellement une clientèle d'hommes d'affaires. Comme New York, Québec a son « Delmonico » qui est propriété des mêmes frères italiens qui ont ouvert dans la Grosse Pomme leur restaurant en 1827 et qui deviendra l'un des plus réputés d'Amérique du Nord.

Au fil des décennies, les restaurants de la rue Saint Pierre déclinent et, en 1930, le Delmonico se transforme en taverne. Sur la rue Sault-au-Matelot, située derrière la rue Saint-Pierre, le « Mercantile » se réjouit d'être le restaurant possédant la plus longue carrière, ayant ouvert ses portes en 1863. Une autre rue de Québec, la rue Saint-Joseph, que certains prénommaient « la Broadway de Québec » devient la rue des grands magasins et par le fait même voit s'installer des restaurants qui deviendront célèbres, tel le « Club Vendôme » et le « Palais Cristal ». Ces restaurants de type « steak houses » sont très populaires à l'époque. Les restaurants commencent d'ailleurs à s'afficher en fonction de leur spécialité et leur spécificité en proposant une cuisine à l'anglaise, à l'américaine ou à la française. Dans les restaurants de type anglais, on servait des plats à base de bœuf, des pâtés, des huîtres et la fameuse soupe à la tortue, Quant à la cuisine française, elle proposait ris de veau, côtelettes d'agneau et crèmes renversées en dessert. On retrouve sur les menus américains, du homard, de la salade Waldorf et des gâteaux chocolatés. À cette liste s'ajouteront les huîtres Rockefeller qui, d'après ce que l'on raconte, proviennent du célèbre restaurant Antoine de la Nouvelle-Orléans.

The Restaurant Industry in the XXth Century in Quebec City

At the turn of the century, under the influence of Escoffier who was ironically, chef of the Savoy Hotel in London), French cuisine revisited Quebec soil after the people became disenchanted with the absence of innovation and imagination in British cuisine; they felt it was bland, unimaginative and often consisted of overcooked food. Gradually, the art of cooking foods separately came into being; chefs mastered the finer points of making sauces. Word got around and an exchange of newly-acquired techniques progressively made its way into cuisine, which allowed Quebec to flourish through both its French and its Western heritage.

At the beginning of the XXth century, Quebec City's most flourishing restaurants, outside the scope of hotel restaurants, were located in the heart of the business district along rue Saint-Pierre, the "Wall Street" of Quebec City. Businessmen, agency workers and bank personnel their principal clients. These British-style restaurants divided into two sections: in one, we have the dining room and in the other, the bar where clients may enjoy all types of fashionable alcoholic drinks as well as the finest cigars. Dining hall staff wore long white aprons and they kept their shirt sleeves rolled up above the elbows. They served steak, roast beef and salmon steak. The Quebec Snow Shoe Restaurant, the Boivert, and the Commercial were three typical restaurants that attracted a business clientele. Quebec City had its Delmonico, as did New York. It is owned by the same Italian brothers who opened their famous restaurant in the Big Apple in 1827, which later became one of the most popular eating spots in North America.

As the decades rolled by, restaurants on rue Saint-Pierre lost some of their appeal, and the Delmonico became a tavern in 1930. The Mercantile, situated on rue Sault-au-Matelot, one street away from rue Saint-Pierre, prides itself on being the restaurant that has enjoyed the longest run: it opened its doors in 1863. Another popular street of Quebec, rue Saint-Joseph, known to some as the "Broadway of Quebec" became the street where one could shop in department stores; because of this, a number of soon-to-be famous restaurants opened their doors such as Club Vendôme and Palais Cristal. These 'steak house' style eateries were quite popular at that time. Restaurants also began to stand out according to their uniqueness and specialities. Some proffered French cuisine, others English fare, while others yet would specialize in American cuisine. Restaurants serving British food had beef, oysters, mock turtle soup and patties on their menu while restaurants opting for a French style served calf sweetbreads, lamb chops, and caramel custard for desert. The American restaurants listed Waldorf salad, lobster and chocolate cake on their menus. The famed oysters Rockefeller were added to the bill of fare in some restaurants; according to some accounts this dish originated in the celebrated New-Orleans restaurant, Antoine.

Throughout the last decades of the XIXth century, oysters featured highly on the menus of Quebec restaurants, and it would appear that people ate enormous amounts of them, if we are to believe advertising copy of those

Il se mange à Québec dans les dernières décennies du XIXe siècle et les premières du XXe siècle, des quantités astronomiques d'huîtres dans les restaurants de Québec, comme en témoignent les annonces publicitaires. La dégustation d'huîtres constitue pour de nombreux citadins, la seule justification valable pour s'introduire dans un restaurant. Les meilleures huîtres, provenant des provinces maritimes sont consommées de l'automne au printemps. Au début du XXe siècle, Hortiste Derome est « le prince des huîtres ». Dans son populaire restaurant du marché Finlay, il en sert « soit à l'assiettée, au verre, sur écaille ou en soupe ». Il en emmagasine des centaines de barils dans les caves de son établissement car il en fournit aussi aux marchands de la campagne. La gastronomie n'est pourtant pas à la portée de toutes les bourses. Sur la place de Québec, il y a d'humbles « cabanes » où l'on sert à manger. Celles du marché Champlain sont suspendues au dessus de l'eau. Selon un journaliste « des repas à la minute et des préparations dont la provenance est parfois douteuse » sont servis. Dans ces cabanes trône un baril de liqueur appelée « petite bière » qui est offerte à un sous le verre. On trouve toujours au début du siècle, dans les endroits défavorisés de la ville des « Chink restaurant », des « Pork and beans » ou des « débits de fèves au lard ». La police tient à l'œil ces endroits car on y vend souvent de l'alcool de façon illégale. Entre les deux guerres, ces petits établissements se transforment en snack-bar et offrent des mets américains avec le Coca-Cola et le pot d'œufs dans le vinaigre qui font désormais partie du décor.

Restaurant Kerhulu

S'il y a un nom dont l'évocation demeure magique, tout au long de ce siècle, c'est celui de Kerhulu. Il arrive au Québec en 1906. Il travaille d'abord à Montréal et sitôt la Première Guerre mondiale terminée, il vient s'installer à Québec en 1924. L'année suivante, il ouvre dans la côte de la Fabrique, tout à coté de la basilique, au numéro 22, dans un immeuble construit en 1868, un restaurant et une pâtisserie française. Pendant plus d'un demi-siècle, l'endroit sera le très chic rendez-vous de la ville. Un autre immigrant, celui-ci d'origine grecque , Georges Trakas , fonde en 1929 le «Old Homestead » situé sur la place d'Armes en face du Château Frontenac, au coin de la rue du Trésor, à l'époque où le campus de l'Université Laval logeait dans le Quartier Latin. Pendant quelques décennies, ses techniques de grillade connaissent un immense succès et l'oblige à divers agrandissements. On dit de ses steaks et de ses brochettes qu'ils sont « simplement fameux et sans comparaison ».

De 1920 et 1930 de nombreux restaurants adoptent l'appellation de « cafés ». Le « Manhattan Café » de la rue Saint-Jean est le plus réputé. Les publicités qu'il fait paraître dans le journal « le Soleil » de l'époque nous font apprécier l'efficacité de son marketing et l'originalité de son produit pour l'époque. En 1960, on compte à Québec pas moins de 60 restaurants dont le nom commence par « Chez ». Cela va de « Chez Joe » à « Chez Jean ». Mais le meilleur d'entre eux est sans doute celui qu'ouvre Gérard Thibault sur la rue Saint-Nicolas, en face de la gare du Palais en 1938 et qui s'appelle, bien naturellement, « Chez Gérard ». En 1948, il agrandit le restaurant et commence à présenter des spectacles afin de recréer l'atmosphère des cafés-concert parisiens. Le succès est instantané. En 1951, il ouvre « La porte Saint-Jean », et dans ces deux établissements, de nombreuses « vedettes » vont défiler.

Kerhulu Restaurant

days. For many people, oyster parties seemed the only way they could afford the restaurant. Canadian Maritime oysters were known to be the best and were enjoyed from September to April. At the dawn of the XXth century, Hortiste Derome was known as the 'oyster prince'. At his popular restaurant in the Finlay market, he served oysters by the plateful, by the glass, on the shell or in a soup. He stocked hundreds of barrels in his restaurant cellars because he also sold oysters to merchants in the country.

The pleasures of gastronomy may not be accessible to all. This would explain the number of modest lodges that also serve food. The lodges of Champlain Market jutted out over the water. A newspaper reported that: "meals were served in a flash and the food prepared was of questionable origin". In these establishments, a large barrel stood in a place of honour; it contains a liquor known as 'petite bière' doled out at one cent a shot. In many economically distressed areas of the city, at the beginning of the century, it was not uncommon to find a 'Chink restaurant' or 'pork and beans' outlets. Law enforcement officials kept a close eye on these establishments that often served illegal alcohol. Between the first and second world wars, these small establishments were converted into snack bars that offered American food with a Coca Cola on the side and the ever-present jar of pickled eggs.

Without a doubt, throughout the XIXth century, one name remains truly memorable, that of Kerhulu. This gentleman from Britanny arrived in Quebec in 1906. He worked in Montreal for a few years, and moved to Quebec City in 1924. He opened a restaurant and pastry shop one year later at 22 Côte de la Fabrique, next to the basilica, in a building erected in 1868. For over a half century, Kerhulu's remained the rendez-vous spot in the city. Later, another immigrant of Greek origin, Georges Trakas, established the Old Homestead in 1929 on place d'Armes, across the street from the Château Frontenac, on the corner of rue du Trésor during the time when the Quartier Latin was the nerve centre of Université Laval campus. For a number of decades, the owner's grilling techniques won him the acclaim of a growing clientele, which compelled him to expand his restaurant many times over. His steaks and brochettes were: "simply legendary and without comparison."

Over a ten-year span, between 1920 and 1930, many restaurants began to adopt the trademark name 'café', the most celebrated among them was the Manhattan Café on rue Saint-Jean owing to the marketing skills displayed by its owner and demonstrated in the original advertising copy placed in the newspaper Le Soleil.

In 1960, no fewer than 60 Quebec City restaurants displayed their name beginning with 'Chez'; from 'Chez Joe' to 'Chez Jean'. The most famous of all is without a doubt 'Chez Gérard', which, owned and operated by Gérard Thibault, on rue Saint-Nicolas across from the gare du Palais, opened its doors in 1938. In 1948, Thibault expanded the restaurant and introduced an entertainment segment reminiscent of the Parisian café-concert style. The initiative was an instant success! He opened 'La porte Saint-Jean' in 1951.

Mentionnons les Roche, Aznavour, Compagnons de la chanson, Charles Trenet, Duke Ellington et bien d'autres comme Hitchcock qui va y tourner son film *I confess* en 1952. Daniel Lavoie sera en 1977 le dernier artiste à se produire « Chez Gérard ».

En quittant le Château Frontenac pour remonter la rue Saint-Louis et la Grande Allée, on trouve là aussi de nombreux restaurants. Ils s'y sont établis dans les années 1960 et 1970 pour devenir le rendez-vous prisé de plusieurs générations de clients. Sur cette artère principalement résidentielle, on retrouve des établissements tel que le « Continental », « Les Anciens Canadiens» qui sert une cuisine typiquement canadienne-française, le « Paris-Brest » ou le « Louis-Hébert ». D'autres rues se sont développées, à la même époque, amenant avec eux leur lot de restaurants. Pensons à la rue Maguire dans le quartier Sillery ou à la rue Cartier dans le quartier Montcalm.

Chez Gérard

Au pied de la côte de la Fabrique, tout à coté de l'hôtel de ville, le chef Serge Bruyère ouvre en 1980 un restaurant qui porte son nom. Il apporte avec lui un nouveau courant culinaire, qui va déborder bien au-delà de la périphérie de la ville. Malheureusement, le restaurant survivra difficilement au décès prématuré de ce chef de grand talent et devra fermer ses portes quelques années plus tard, à l'aube du troisième millénaire.

Ne concluons pas ce chapitre, sans mentionner des gens qui par leur action et parfois grâce à l'appui de nouveaux médias comme la télévision, ont façonné le visage de la cuisine québécoise : Jehanne Benoit, auteure de la première encyclopédie de la cuisine du Québec ; Henri Bernard avec ses livres et ses émissions de télévision ; Sœur Berthe SansRegret avec son très classique ouvrage *La cuisine raisonnée* qui figure parmi les grands titres de l'édition culinaire québécoise ; et sœur Monique Chevrier dont l'enseignement a su insuffler le goût de bien faire à tant de mères à l'époque. Chacun d'entre eux s'est démarqué tant pour son professionnalisme que pour son talent de pédagogue. D'autres depuis ont repris le flambeau. La relève est aujourd'hui bien présente. Talentueuse, innovante, osée, elle poursuit l'œuvre inspirée de tous ceux qui ont fait et font de la cuisine et de l'art culinaire l'une des principales dimensions du bien vivre et l'une des grandes caractéristiques de l'hospitalité québécoise.

Chez Gérard

Both venues attracted such celebrities as Pierre Roche, Charles Aznavour, les Compagnons de la chanson, Charles Trenet, Duke Ellington, and many more. Alfred Hitchcock shot his movie "I Confess" there in 1952. Daniel Lavoie was the last artist to perform on the stage 'Chez Gérard' in 1977.

Upon leaving the Château Frontenac to walk along rue Saint-Louis and Grande Allée, a large number of restaurants dotted the area. Most of them settled there as early as the 60s and 70s and attracted a loyal clientele throughout the years. Along this mainly residential thoroughfare it was not surprising to come across restaurants such as the Continental, Les Anciens Canadiens where one could enjoy typical, hearty French-Canadian cuisine, the Paris-Brest or the Louis-Hébert. A number of streets such as Maguire in the Sillery neighbourhood, and Cartier in the Montcalm district, took shape over the years and brought with them an interesting assortment of restaurants.

Farther down, on Côte de la Fabrique, a stone's throw away from City Hall, chef Serge Bruyère opened the doors to a restaurant that bore his name in 1980. He fashioned a new culinary style that attracted a faithful clientele far and wide. Unfortunately, the restaurant was not able to carry on following the premature death of its charismatic owner, and was forced to close down on the eve of the third millennium. We should not close this chapter without naming those who, through their actions and by way of media support such as television have shaped the countenance of Quebec cuisine. Jehanne Benoit, the creator of the first culinary encyclopaedia in Quebec; Henri Bernard, television personality and author of many cookbooks; Soeur Berthe Sans Regret and her ever-classic *La cuisine raisonnée,* which stands out as one of the celebrated works in our culinary library; sister Monique Chevrier whose teachings inspired such a large number of women and mothers alike. Historically, these people remain outstanding figures through their professionalism and their teaching abilities. Others have followed, and are keeping the flame alive. The emerging group of professionals is ever present. They are bursting with talent, inventiveness and enterprise. They are eagerly pursuing the exciting work of all those who have and continue to make of cookery and the culinary arts the primary elements of fine living and the dominant characteristics of Quebec hospitality.

400 ans déjà

2008. La ville célèbre ses 400 ans. De nouveaux quartiers comme le quartier Saint-Roch se développent avec de jeunes restaurants. Ceux-ci se font et se défont, au fil de la concurrence, des goûts, des modes et des talents des chefs de cuisine.

Dans toutes mes lectures des livres d'histoires consultés pour compiler les quelques pages précédentes, j'ai pu constater que de tout temps, à toutes les époques, on retrouve « de la nouvelle cuisine ». On efface l'ancien pour faire du nouveau, pour reprendre de nouveau l'ancien d'avant le nouveau. Et finalement nous récrivons l'histoire. Je crois que c'est avec beaucoup d'humilité et de sagesse que nous devons regarder nos efforts. De tous temps, les chefs ont exigé d'être approvisionnés en frais. Nous ne sommes pas des précurseurs, mais il reste que la majorité des cuisiniers consciencieux, amoureux de leur métier et passionnés de bien faire, accomplissent une tâche déjà très difficile: perpétuer, conserver ce qui existe, et faire du mieux qu'ils peuvent pour que la roue ne cesse de tourner. Et la gastronomie dans tout ça ? J'aimerais reprendre les mots de Jean-François Revel, qui a écrit ces lignes dans Un festin en parole : « Il y a gastronomie quand, il y a perpétuelle querelle des Anciens et des Modernes et lorsqu'il y a un public capable, à la fois par sa compétence et par ses richesses, d'abriter ces querelles ».

Dans les deux à trois dernières décennies, de nombreuses modes ont vu le jour. Chacune nous a laissé quelque chose à retenir. Pensons à la nouvelle cuisine des années 1970 /1980, à la cuisine californienne, à la cuisine fusion et, tout dernièrement, à la cuisine moléculaire. L'expression la plus couramment employée au cours des quinze dernières années est assurément « les produits du terroir». Ce qui me fait me poser la question suivante : n'avons-nous pas, depuis 400 ans, consommé des produits du terroir ? Il est certain qu'au fil des siècles, en particulier suite à la révolution industrielle, les importations de masse ont parfois pris le dessus. On a également fait des découvertes importantes au plan technologique et on a découvert de nouveaux procédés de conservation qui ont modifié les habitudes alimentaires quotidiennes. La modernisation du système de distribution et de transport a mis à notre portée des denrées jusqu'alors difficilement disponibles et au mieux occasionnelles dans nos marchés, en même temps qu'elle nous a permis d'ouvrir des portes sur le monde entier. Néanmoins les produits de terroir, de proximité, restent sous-jacents dans la cuisine quotidienne. Aujourd'hui, le mouvement de pendule revient et nous revalorisons l'identité de nos productions locales à travers la synergie qui s'est créée entre les artisans et les chefs concernés qui les utilisent dans leurs concoctions les plus raffinées.

Et je crois que nous pouvons en être fiers. Fiers de tous nos maraîchers, de nos fromagers, de nos éleveurs, de nos vignerons, de nos brasseurs, et de tous les autres producteurs qui définissent à travers leurs spécialités un paramètre de notre identité culturelle. Sans eux, la cuisine ne serait pas ce qu'elle est, c'est-à-dire ce qui il y a de mieux en Amérique du Nord. Une cuisine moderne, inspirée, fière à la fois de son américanité, de son héritage européen et de sa multiculturalité qui, bien que ne représentant que 2 % de l'ensemble nord-américain, a su se démarquer et qui réussit, depuis maintenant 400 ans, à nous mettre l'eau à la bouche !

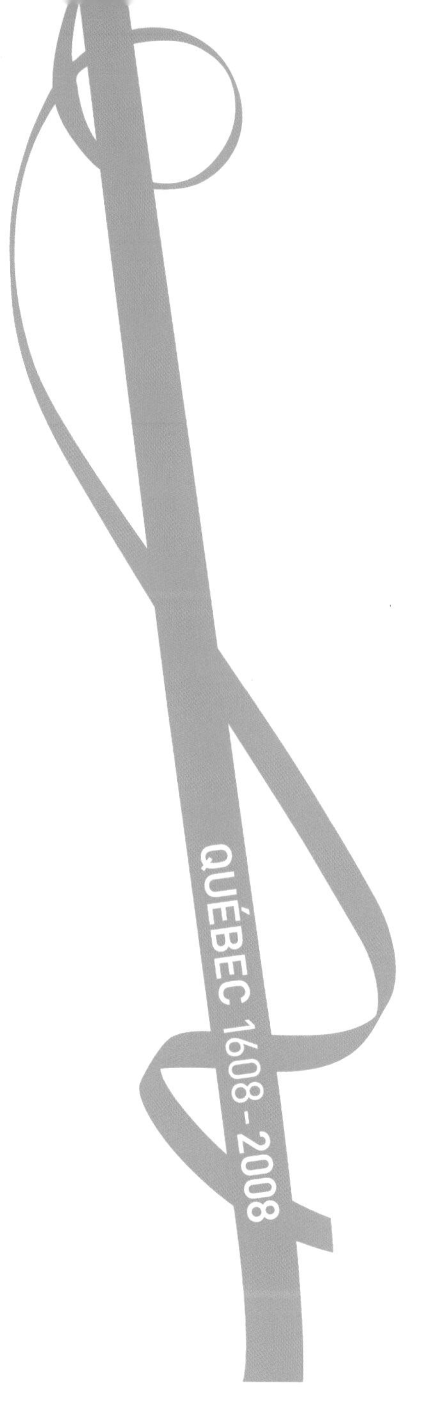

400 Years Later

The year is 2008. The city is 400 years old. New districts have emerged such as the quartier Saint Roch, and new restaurants have opened their doors in these places. They come and go with the passage of time, competition, interests, fashion, and the talent of their chefs.

While scouring through history books to bring together the foregoing pages, it came to me that 'nouvelle cuisine' can be found at any time, in any era: out with the old, in with the new; then back with the old that came before the new! What it means is that we are re-writing history. I truly believe that we must examine our efforts and our work with wisdom and modesty. From the very beginning, freshness was the key requirement for all chefs. We are not forerunners in our field, yet, it remains that the majority of diligent cooks who love their profession and who are passionate about doing it right already have a challenging mission: perpetuate, maintain and do the best they can to make sure that the wheel keeps turning.

And where does gastronomy belong? Allow me to quote Jean-François Revel, author of Un festin en parole: "Gastronomy exists when Ancients and Moderns find themselves in endless dispute and when a knowledgeable and affluent public is able to shield them." (Our translation)

In the course of the last two or three decades, many styles have come and gone. Each one has left us with something to think about. Let us consider the nouvelle cuisine of the 70s and 80s, California cuisine, fusion cuisine and lately, molecular cuisine. The most vivid expression and one that has been on everyone's lips for the past 15 years is no doubt 'terroir products' or if you will, 'country food'. Which brings me to the following question: Have terroir products not been available over the past 400 years? No doubt mass imports have predominated at times throughout history, particularly in the aftermath of the industrial revolution. Furthermore, technological discoveries and new methods of food preservation have changed our daily eating habits. Modernization of distribution and transport systems has brought a number of commodities to our doorstep that previously had been difficult to obtain, or at best, occasionally available. These innovations also opened the doors to the rest of the world. In contrast, terroir products, those that we find close to home, still remain underlying elements of our daily culinary habits. Today, the pendulum effect is in motion once more. Again, we can draw attention to our local food crop productions by means of the alliance created between craftsmen and women and interested chefs who use these products in their more sophisticated creations

I feel we have every reason to be proud of this accomplishment: proud of our farmers, of our cheese makers, our stock farmers, our grape producers, our brewers and all those admirable producers who exemplify, through each of their specialties, a facet of our cultural identity. Without their contribution, our cuisine would not be what it is today, which is, the best in North America. A cuisine that is both contemporary and imaginative, a cuisine that remains proud of its American style, its European heritage as well as its multicultural presence; and even though it represents a mere 2 percent of all of North America, it has flourished and continues to make our mouths water as it has for the past 400 years!

Les grandes dates du Fairmont Le Château Frontenac

1534 Jacques Cartier explore le golfe du Saint-Laurent et prend possession du territoire au nom du roi de France.

1608 Samuel de Champlain établit à Québec un avant-poste et entreprend la colonisation de la Nouvelle-France.

1620 Champlain fait construire le Fort St-Louis sur les hauteurs du Cap-Diamant, pour s'y loger fort modestement avec sa garnison.

1626 Le Fort St-Louis est reconstruit.

1636 Charles Huault de Montmagny, gouverneur de la Nouvelle-France, arrive à Québec en 1636 et procède à l'amélioration des installations du Fort St-Louis qu'il renommera ensuite le Château St-Louis.

1663 Louis XIV, roi de France, accorde le statut de province royale à la colonie de la Nouvelle-France qui aura alors son premier « gouvernement ».

1690 Le Château St-Louis est incendié suite à l'attaque de l'armée anglaise dirigée par l'amiral Sir William Phipps.

1692 Le Château St-Louis est de nouveau reconstruit sur le même site par Louis de Buade, Comte de Frontenac.

1759 En Europe la guerre de Sept Ans, qui voit s'affronter les deux grandes puissances impérialistes que sont la France et l'Angleterre, fait rage. Dans ce contexte, les Anglais assiègent Québec qui résiste à leurs attaques. Wolfe trouve moyen de mettre pied à terre et masse ses troupes sur les plaines d'Abraham où il remporte une victoire sur les troupes de Montcalm. Montréal se rend un an plus tard. Les troupes britanniques occupent le territoire. La cession du Canada à l'Angleterre sera officialisée par le traité de Paris en 1763.

1786 Le gouverneur général du Canada, Sir Frederick Haldimand, fait construire le Château Haldimand à quelques pas du site du Château St-Louis pour y tenir ses réceptions officielles. Il y donnera de grandes réceptions et des bals fastueux.

1834 Le Château St-Louis est ravagé par un incendie. Lord Durham fait raser les ruines et construire une plate-forme sur cet emplacement qui deviendra plus tard la célèbre Terrasse Dufferin.

1890 Les architectes Roth & Tilden sont engagés par les sociétaires d'une grande entreprise privée pour construire un hôtel prestigieux à Québec. Ils proposent comme projet d'adopter un style semblable à celui des châteaux de la Loire en France. Ce projet n'aura pas de suite immédiate.

1892 Sir Donald Alexander Smith, Sir William Van Horne (président du Canadien Pacifique), Sir Thomas Shaughnessy (du Canadien Pacifique) et quelques hommes d'affaires influents de Montréal fondent une entreprise sous le nom de *La Cie du Château Frontenac* avec l'intention de faire construire un hôtel luxueux auquel William Van Horne ambitionne de donner l'allure d'un château de la renaissance à la française, sur le site même de l'ancien Château St-Louis, à Québec.

1893 Le Château Frontenac ouvre ses portes. À son ouverture officielle, le *Quebec Morning Chronicle* écrit: « Le Château Frontenac occupe, sans l'ombre d'un doute, le site le plus spectaculaire qui soit au monde... »

1894 L'inauguration du Carnaval de Québec par le gouverneur général du Canada, Lord Aberdeen, se fait au Château Frontenac. Québec deviendra éventuellement la capitale canadienne des sports d'hiver et l'hôtel acquiert progressivement une renommée internationale pour le rôle qu'elle tient dans l'organisation de ce prestigieux festival.

1899 L'architecte Bruce Price ajoute deux nouvelles ailes à l'édifice: l'aile Citadelle puis l'aile Pavillon qui sera inaugurée en 1899.

1908 Le futur roi George V, Prince de Galles, vient célébrer le tricentenaire de la fondation de Québec par Champlain. L'événement, qui ne passe pas inaperçu au plan international, accueille également le vice-président américain, Charles W. Fairbanks.

1909 L'architecte Walker S. Painter de Detroit signe les plans de l'aile Mont Carmel qui sera réalisée en 1909 au coût de 1 500 000 $.

1919 Le Prince de Galles est à nouveau l'invité d'honneur du Château Frontenac.

1924 Le Canadien Pacifique mandate les frères Maxwell de Montréal d'exécuter les plans qui permettront au Château Frontenac de doubler sa capacité. Ils conçoivent alors une tour centrale de 17 étages, une nouvelle aile pour accueillir l'infrastructure de service et une aile additionnelle le long de la rue St-Louis. La tour centrale qui domine majestueusement le panorama de Québec est vite considérée comme une grande réussite architecturale.

1926 Un incendie cause des dommages évalués à 760 000 $ à l'aile Riverview du Château Frontenac, une somme considérable à l'époque. Une nouvelle aile réalisée par Maxwell et Pitts remplace bientôt la précédente. Elle comporte de nouveaux aménagements, notamment des salles à dîner, dont la salle Champlain construite à l'emplacement de l'ancien Riverside Lounge.

History – Fairmont Le Château Frontenac

1534 Jacques Cartier reaches the Gulf of St-Lawrence and claims the Quebec region for France.

1608 Samuel de Champlain of France establishes Quebec City as the first permanent settlement in Canada.

1620 Fort St-Louis, the first Fort in Quebec, is constructed. It housed Champlain's modest living quarters and his sentries.

1626 Fort St-Louis is re-built.

1636 The Governor of New France, Charles Huault de Montmagny arrives in 1636, and begins new construction work on the Fort, which he eventually renames Château St-Louis.

1663 King Louis XIV of France designates the Quebec region as a royal province.

1690 The Château St-Louis is destroyed by fire when attacked by Sir William Phipps

1692 The Château St-Louis is re-built once more on the same site by Louis de Buade Comte de Frontenac.

1759 The British capture Quebec City during the French and Indian War.

1786 Le Château Haldimand is built by Governor General of Canada, Sir Frederick Haldimand. This castle would become a gathering place for official receptions and grand balls.

1834 The Château St-Louis burns down. Lord Durham had the ruins of Château St-Louis torn down so that a platform, later to become the city's famous boardwalk "Dufferin Terrace" could be built.

1890 Architects Roth & Tilden are commissioned by the founders of a company created to build a prestigious hotel in Quebec City and they design the "Fortress Hotel" in the style of the chateaux of the Loire region in France. None of these plans came to fruition.

1892 Sir Donald Alexander Smith, Sir William Van Horne (President CPRailway), Sir Thomas Shaughnessy (CPR) and a number of business acquaintances from Montreal form a company called "The Château Frontenac Company". Van Horne has a vision to build a luxury railway castle on the site of the historic Château St-Louis. Bruce Price is chosen as the architect for this magnificent castle which he would design in the style of a French Renaissance Château.

1893 Le Château Frontenac opens its doors. Upon its opening, the Quebec Morning Chronicle reports: "Beyond the shadow of a doubt, the finest hotel site in the world is that now occupied by Le Château Frontenac".

1894 The *Carnaval de Québec* is inaugurated by the Governor General of Canada, Lord Aberdeen, at Le Château Frontenac. The hotel begins to gain international recognition as Canada's Winter Sports capital as it plays an important role in organising the City's renowned first festival.

1899 Architect Bruce Price designs two additional wings: The Citadel Wing and The Citadel Pavillion which open in 1899.

1908 The future King George V, The Prince of Wales, celebrates the tercentennial of the founding of Quebec City. The event gains international recognition and it also attended by the Vice-President of the United States, Charles W. Fairbanks.

1909 At a cost of $1,500,000, architect Walker S. Painter of Detroit designs the Mont Carmel Wing, which opens in 1909.

1919 The Prince of Wales is an honoured guest at Le Château Frontenac.

1920's Le Château Frontenac becomes a "ground-breaker" in promoting winter sports and activities in Quebec and Canada.

1924 CP requests that the Maxwell Brothers of Montreal draw up plans which would allow Le Château Frontenac to double its capacity. They design a 17-storey central tower, a new service wing and another wing along St-Louis street. The new tower is considered an architectural masterpiece that dominates the Quebec skyline.

1926 Disaster strikes Le Château Frontenac when fire breaks out in the Riverview Wing, causing $760,000 damage.

1928 Charles A. Lindberg, the first man to make the Trans-Atlantic voyage from New York to Paris appears in the lobby of Le Château Frontenac. He causes quite a commotion as he greets guests in the lobby in complete flying gear and parachute!

1928 Charles A. Lindberg, qui réalisa le premier vol sans escale entre New York et Paris fait son apparition dans le lobby de l'hôtel en combinaison de vol et parachute au dos ce qui n'est pas sans causer une certaine commotion parmi les clients.

1939 Le Château Frontenac se prépare à recevoir de la visite royale. Le roi George VI et la reine Elizabeth font escale à Québec à l'amorce d'une visite officielle au Canada qui les mènera dans chacune des provinces.

1940 – Le Château Frontenac crée l'école de ski « Ski Hawk » qui fera de Québec l'une des destinations nord-américaines les plus importantes pour le ski alpin.

1943-44 Le Château Frontenac est l'hôte de la Conférence de Québec qui réunit le premier ministre de Grande-Bretagne, Sir Winston Churchill, le président des États-Unis, Franklin D. Roosevelt et le premier ministre canadien, W.L. MacKenzie King, et pendant laquelle les nations alliées vont définir les grandes lignes de leur stratégie pour contrer l'Allemagne nazie et remporter la Seconde Guerre mondiale.

1944-59 Maurice Duplessis, premier ministre du Québec, prend résidence au 12ième étage de la tour centrale. Il y demeurera 15 ans.

1946 Le Comte d'Athlone visite le Château Frontenac.

1951 La Princesse Elizabeth et le Duc d'Edinbourg visitent le Château Frontenac.

1952 Le Château Frontenac est le site du tournage du film « I confess » d'Alfred Hitchcock, mettant en vedette Montgomery Cliff et Ann Baxter.

1964 Un nouveau stationnement d'une capacité de 450 voitures et 160 chambres viennent s'ajouter au Château Frontenac.

1967 Le gouvernement du Québec reçoit le président de la France, le Général de Gaulle, et une réception est donnée en son honneur au Château Frontenac.

1969 La Princesse Grace de Monaco est l'invitée d'honneur au bal de la Régence lors du carnaval.

1969 À nouveau, le Château Frontenac est choisi comme site d'un autre tournage majeur d'Hollywood. On y tourne des séquences du film « Please don't drink the water » avec Jackie Gleason.

1973 Une rénovation majeure mettant l'accent sur la personnalité canadienne-française de l'hôtel est entreprise. On lui doit, entre autres, l'ouverture du restaurant Café canadien.

1974 Les hôtels Hilton Québec and Loews Le Concorde s'ajoutent au Château Frontenac pour faire de Québec un haut lieu de séjour touristique.

1979 Le Château Frontenac reçoit les ministres du cabinet du gouvernement de Joe Clark qui tiennent en ses lieux une conférence ministérielle.

1984 Le premier ministre français Laurent Fabius est l'invité du gouvernement de René Lévesque au Château Frontenac.

1985 Le président des États-Unis, Ronald Reagan, rencontre le premier ministre canadien Brian Mulroney au Château Frontenac.

1985 La ville de Québec est inscrite au régistre des villes du Patrimoine mondial de l'Unesco et sera l'hôte du premier symposium international sur les villes du Patrimoine mondial.

1987 L'année du premier Sommet de la Francophonie alors que le gouvernement du Québec reçoit au Château Frontenac une pléiade de leaders des pays francophones, dont le président François Mitterand de France.

1989 Un imposant programme de rénovation est amorcé pour redonnner à cet hôtel historique son lustre d'antan et sa réputation d'hôtel de haut niveau.

1991 Le premier ministre du Québec, Robert Bourassa, est l'hôte d'un dîner d'État en l'honneur de la princesse Margrethe II et du prince consort Henrik du Danemark.

1993 On ajoute l'aile Pratte, qui comprend une piscine, une salle d'exercices ainsi que 66 nouvelles chambres

1993 Le 100ième anniversaire du Château Frontenac est marqué par de nombreuses célébrations.

1998 Le premier ministre français Lionel Jospin séjourne au Château Frontenac.

1999 Une conférence des premiers ministres canadiens se tient au Château Frontenac.

1999 Le président français Jacques Chirac séjourne au Château Frontenac.

2000 La mise en lumière du Château Frontenac dans le cadre du projet Québec – Ville lumière donne une prestance accrue à l'ensemble architectural déjà imposant.

2001 Québec est l'hôte des pays présents au Sommet des Amériques.

2003 Le 110ième anniversaire du Fairmont Le Château Frontenac.

2008 Le 115ième anniversaire du Fairmont Le Château Frontenac.

1939 Le Château Frontenac prepares for a Royal Visit from King George VI and Queen Elizabeth. Quebec City is the first stop on their Royal Canadian Tour across Canada.

1940's Le Château Frontenac creates the "Ski Hawk School", which contributes to Quebec's reputation as one of the most important downhill ski destination in North America.

1943-44 Le Château Frontenac hosts the Quebec Conferences. Headed by Great Britain's Prime Minister, Sir Winston Churchill, American President Franklin D. Roosevelt, and Canadian Prime Minister W.L. MacKenzie King, the chiefs of staff of the allied nations map the overall strategy which leads to the victory of World War II.

1944-59 Maurice Duplessis resides on the 12th floor of the central tower.

1946 The Earl of Athlone visits Le Château Frontenac.

1951 Princess Elizabeth and the Duke of Edinburgh visit Le Château Frontenac.

1952 Le Château Frontenac becomes a Hollywood movie set when Alfred Hitchcock's movie "I confess", featuring Montgomery Cliff and Ann Baxter, is filmed at the hotel.

1964 Parking facilities for 450 cars as well as 160 rooms are added.

1967 The Government of Quebec hosts a banquet at Le Château Frontenac in honour of General de Gaulle, President of France.

1969 Princess Grace of Monaco is the guest of honour at the Regency Ball of the Carnaval de Quebec.

1969 Once again, Le Château Frontenac becomes a Hollywood movie set when it is the chosen location for the film " Please don't drink the water" starring Jackie Gleason.

1973 A major renovation program begins at Le Château Frontenac which highlights the hotel's French Canadian tradition, such as the opening of the Café Canadien Restaurant.

1974 Opening of the Quebec Hilton and Loews Le Concorde Hotels which heightens local competition for the first time to Le Château Frontenac..

1979 Le Château Frontenac hosts a conference of cabinet ministers of the Government of Canada, under the leadership of Prime Minister Joe Clarke.

1984 French Prime Minister Laurent Fabius is the guest of Premier René Lévesque at Le Château Frontenac.

1985 American President Ronald Reagan meets with Canadian Prime Minister Brian Mulroney at Le Château Frontenac.

1985 Quebec City is named a World Heritage city and host the first International Symposium on world heritage cities.

1987 Sommet de la Francophonie – Summit where Le Château Frontenac hosts a world leaders such as President François Mitterand of France.

1989 A 65 million-dollar renovation project begins to honour the properties' history and restore it back to its original splendour and prominence in the marketplace.

1991 Quebec Premier Robert Bourassa hosts a State dinner with honoured Queen Margrethe II and Prince Consort Henrik of Denmark.

1993 Addition of Pratte wing including a pool, a health club and 66 new rooms.

1993 The 100th anniversary of Le Château Frontenac is marked by year-round celebrations.

1998 Prime Minister of France – Lionel Jospin – is a guest at Le Château Frontenac.

1999 Conference of Prime Ministers of Canada is held at Le Château Frontenac.

1999 The President of France, Jacques Chirac is a guest at Le Château Frontenac.

2000 The Illumination of Le Château Frontenac in the project: Quebec – City of lights.

2001 The Summit of the Americas.

2003 The 110th anniversary of Fairmont Le Château Frontenac.

2008 The 115th anniversary of Fairmont Le Château Frontenac.

Index des recettes

LES ENTRÉES

LES SOUPES

LES POISSONS ET CRUSTACÉS

LES VIANDES, VOLAILLES ET ABATS

LES DESSERTS

Index

Références bibliographiques Bibliography

Audet, Bernard, *Se nourrir au quotidien en Nouvelle-France,* Éd. GID, Ste-Foy, 2001

Barbara Ketcham Wheaton, *L'office de la bouche - 1300-1789,* Éd. Calman-Lévy, 1983
Bocuse, Paul, La cuisine du marché, Éd. Flammarion, 1976

Boucher, P., *Histoire véritable et naturelle des mœurs et production du Pays et de la Nouvelle-France vulgairement dite le Canada,* (éd. orig.1664), Société historique de Boucherville, rééd. 1964
Boire et manger au XVIIe siècle, Collection de l'université du vin, 1998
Cap-aux-Diamants - Les plaisirs de la table, Éd. Cap-aux-Diamants, 1996
Continuité - Gastronomie et Patrimoine, Éd. Continuité, 1992

Carême, A., *L'art de la Cuisine Française au XIXe siècle,* 1833

Carême, A., *Le Pâtissier royal parisien,* 1815

Chapais, Jean-Claude, *L'œuvre des Écoles ménagères agricoles,* Québec, 1906

Collectif Clio, *L'histoire des femmes au Québec depuis quatre siècles,* Le Jour éditeur, Montréal, 1992

Côté, A., *Les Relations des Jésuites 1611-1672.* (éd. orig. 1858), Éd. du Jour, Montréal, réimpr. 1972

Courtine J. Robert et Desmur Jean, *Anthologie de la poésie gourmande,* Éd.Trévise, 1970

Courtine J. Robert, *La cuisine des terroirs,* Éd. La Manufacture, 1989

Charbonneau Hubert et al., *Naissance d'une population. Les Français établis au Canada au XVIIe siècle,* Presses de l'Université de Montréal, 1987.

Douville, R., J.-D. Cassanova, *La vie quotidienne en Nouvelle-France, Le Canada de Champlain à Montcalm,* Éd. Hachette, Paris, 1967

Hilton, *Culinary Heritage of the U.S. 1776-1976,* (1976)

Curnonsky, *Souvenirs littéraires et gastronomiques,* Éd. Albin Michel, 1958

Curnonsky, *Cuisine et vin de France,* Éd. Larousse, 1953

Curnonsky et G.Derys, *Anthologie de la gastronomie française,* Éd. Delagrave, 1936

De Konink, R., 1996, *La vigne au Québec ou la ténacité du vigneron,* pp.619-640, extrait tiré de C. Le Gars et Roudié, Ph., *Des vignobles et des vins à travers le monde. Hommage à Alain Huetz de Lemps,* Presses Universitaires de Bordeaux, Cervin.

Dictionnaire général de la cuisine française, 1839

Eccles, W., *Frontenac,* 1962

Escoffier, A., *Le guide culinaire,* 1912

Escoffier, A., *Ma cuisine,* 1934

Fischler, Claude., *L'homnivore,* Points, 1990

Frégault, Guy., *La Civilisation de la Nouvelle-France,* Société des Éditions Pascal, 1944

Frenette, Yves., *Brève histoire des Canadiens français,* Éd. du Boréal, Montréal, 1998.

Gagnon Pratte France et Etter Éric., *Fairmont Le Château Frontenac,* Éd. Continuité, 1993

Gillet, Philippe., *Les goûts et les mots XIVe-XXe siècles,* Éd. Payot, Paris, 1987

Gouffé, J., *Le livre de cuisine,* 1867

Greer, Allan., *Brève histoire des peuples de la Nouvelle-France,* Éd. du Boréal, Montréal, 1998

Groulx, Lionel., *Misères des derniers jours,* dans Action *nationale,* Vol. XXIX, No 1 (janv. 1947), pp. 19-47

Lachance, André., *Vivre à la ville en Nouvelle-France,* Libre expression, Montréal, 2004.

Lachance, André., *Vivre, aimer et mourir en Nouvelle-France: la vie quotidienne au XVIIe et XVIIIe siècles,* Libre Expression, Montréal, 2000

Lacoursière, Jacques., *La vie quotidienne des habitants 1608-1760.* Épopée en Amérique #5.

Lacoursière Jacques., *Histoire populaire du Québec. Des origines à 1791.* Éd. du Septentrion, 1995

Lafrance, Marc et Desloges Yvon., *Goûter à l'histoire, Les éditions de la Chenelière,* 1989

Lafrance, Marc et Desloges Yvon., *Les restaurants au 19e siècle,* (Gastronomie et patrimoine), Éd. Continuité, Nº 52, 1992, pp. 27-31.

L'Anglais, Paul-Gaston., *Les modes de vie à Québec et à Louisbourg au milieu du XVIIIe siècle - collections archéologiques.* Les Publications du Québec, Collection Patrimoines, Dossiers 86 et 87, Québec, 1994.

Larousse Gastronomique, Éd. Larousse 1960, 1984 et 2000

L'art Culinaire Français, Éd. Flammarion, 1957

Lebel, Jean-Marie.,*Tables d'hier et d'aujourd'hui : Deux siècles de restauration à Québec, Les plaisirs de la table, Cap-aux-Diamants*, no 44, Hiver 1996

Linteau, Paul-André, René Durocher et Jean-Claude Robert, *Histoire du Québec contemporain, Tome 1*, Éd. du Boréal, Montréal, 1989

Mathieu, Jacques., *La Nouvelle-France. Les Français en Amérique du Nord, XVIe-XVIIIe siècles,* Paris/Sainte-Foy, Belin/Presses de l'Université Laval, 1991

Mennell, Stephen., *Français et Anglais à table,* Éd. Flammarion, Paris, 1987

Menon, *Nouveau traité de cuisine* (1739)

Montagné P., La cuisine fine (1913)

Montagné P., *Les délices de la table* (1931)

Nish, Cameron, *Les bourgeois gentilshommes de la Nouvelle-France (1729-1748),* Éd. Fides, Montréal, 1968

Oury, Guy., *Marie de l'Incarnation, Ursuline, (1599-1672) : correspondance,* Solesme (1971)

Parienté, Henriette et De Ternant Geneviève, *La fabuleuse histoire de la cuisine française* (1981)

Plourde, Michel, Hélène Duval, Pierre Georgeault (dir.), *Le français au Québec. 400 ans d'histoire et de vie,* Montréal/Québec : Fides/Les publications du Québec, 2000

Rouanet, Marie., *Petit traité romanesque de cuisine.* Coll. J'ai lu, 1990

Rousseau, J. et Béthune, *G. Voyage de Pehr Kalm au Canada en 1749,* traduction annotée du journal de route, Éd. Pierre Tisseyre, Montréal, 1977

Thévierge, Nicole, *Histoire de l'enseignement ménager familial au Québec*, 1882-1970. Institut québécois de recherche sur la culture, 1982

Toussaint-Samat Maguelonne et Lair Mathias, *Grande et petite histoire des cuisiniers de l'antiquité à nos jours,* Éd.Laffont, 1989

Vachon, André et Chabot, Victorin et Desrosiers, André., *Rêves d'empire : Le Canada avant 1700,* (Les Documents de notre histoire)- Archives publiques Canada, Ottawa, 1982

Vachon, André et Chabot, Victorin et Desrosiers, André., *L'enracinement : Le Canada de 1700 à 1760,* (Les Documents de notre histoire)- Archives publiques Canada, Ottawa, 1985

Waleffe Pierre, *Brillat-Savarin – Méditations gastronomiques,* 1967

Sites Web

Ferland Catherine, *La saga du vin au Canada à l'époque de la Nouvelle-France* , Anthropology of Food, 3, Décembre 2004, Vin et mondialisation, [En ligne], mis en ligne le 01 décembre 2004, URL : **http://aof.revues.org/document245.html**. Consulté le 01 octobre 2007.

Olivier Riopel. Compte-rendu du colloque *Qu'est-ce qu'on mange ? Le repas quotidien à travers l'histoire.* Montréal, les 2,3,4 novembre 2005. Mis en ligne décembre 2005. Consulté le 14 septembre 2007. lemangeur-ocha.com.

Éric Bédard, Ph. D., *La colonisation française en Amérique,* (propos de) Consulté le 10 septembre 2007, lemangeur-ocha.com.

Se sucrer le bec et *Le castor, un poisson ?* Capsule historique animée par Luke Merville. Consulté le 26 septembre 2007. Télé-québec, amérique-française

Sources des illustrations

p. 12-13 *Archives Nationales du Canada*
Arrivée de Champlain à Québec,
George Agnew Reid fonds, 1909, dessin.

p. 16-17 *Archives Nationales du Canada*
Préparation du sucre d'érable, Bas-Canada. 1837,
aquarelle. John Philip (1817-1881)

p. 19 *Atlas des plantes de France. Bib. Nat. France*
Maïs

p. 20-21 Aquarelle: *L'arrivée des bateaux provenant de France.* © Bibliothèque et Archives Canada.
Reproduit avec la permission du ministre des Travaux publics et Services gouvernementaux canada (2007) **Source:** Bibliothèques et Archives Canada/Crédit: Lawrence R. Batchelor/Collection Lawrence Batchelor/C-011924

p. 26-27 *Archives Nationales du Canada*
Marché de la Haute-Ville, en hiver à -17 °F.

p. 28-29 *Musée de la civilisation, bibliothèque du Séminaire de Québec*
Un souper chez un seigneur canadien,
dans Aubert de Gaspé, Philippe
Les Anciens canadiens, Montréal, 1925.

p. 30 *Musée National de Finlande, Helsinki*
Portrait à l'huile de Pehr Kalm peint en 1764
par J.G. Geitel.

p. 31 *Archives Nationales du Canada*
Menon, La cuisinière bourgeoise, 3e édition, Paris,
Moronval, 1825.

p. 38-39 *Musée de la civilisation, bibliothèque du Séminaire de Québec*
The Dinner of Ceremony at the Château, Louis Rossi dans Parkman, Francis Count Frontenac and New France under Louis XIV, 1897.

p. 38 *Musée de la civilisation, bibliothèque du Séminaire de Québec*
Le Bénédicité, dans L'Opinion publique,
vol VII, N° 16.

p. 40-41 *Archives Nationales du Canada*
Bal au Château St-Louis, 1801, Québec,
George Henriot.

p. 54-55 *Musée de la civilisation, bibliothèque du Séminaire de Québec*
Seigneurial Dues, C. W. Jefferys dans Long, Morden H. A History of the Canadian People, Toronto, 1942

p. 56 Site Web. de *rarebooks@ksu.edu / www.lib.ksu.edu*
The Art of Cookery

p. 62-63 *Archives Nationales du Canada*
James A. Quinn ainsi qu'un stand à légumes en avant-plan. Russel Norton Collection, 1860. Québec.

p. 64-65 *Archives Nationales du Canada*
Vue de Québec depuis la porte Prescott.
1860. Aquarelle et crayon sur velin. Thomas M.(1838-1934)

p. 66 Archives Nationales du Canada
La cuisinière canadienne, contenant tout ce qui est nécessaire de savoir dans un ménage. Montréal, L. Perrault, 1840.

p. 72-73 *Archives de l'Université de Montréal*
Une école ménagère en 1929. Auteur inconnu.

p. 74-75 *Wikipedia.com*
Page titre de La physiologie du goût,
édition de 1848.

p. 90-91 *Archives Nationales du Canada*
Le Château Frontenac, salle à manger, Québec,
coll. photographies par Jules Livernois

p. 90 *Archives Nationales du Canada*
Le Château Frontenac, vue extérieure, Québec,
coll. photographies par Jules Livernois.

p. 104-105 Carte postale

Archival Sources

p. 12-13 — *National Archives of Canada*
Champlain's arrival in Quebec,
George Agnew Reid fonds, 1909, Drawing

p. 16-17 — *National Archives of Canada*
Preparation of maple sugar in Lower-Canada, 1837,
Watercolour by John Philip (1817-1881)

p. 19 — Corn, Masclef A. 1891, French plant Atlas, p.365

p. 20-21 — Watercolor: *The Arrival of Ships from France,*
1660 © Library and Archives Canada. Reproduced
with permission from the Minister of Publics Works
and Government Services Canada (2007)
Source: Library and Archives Canada/Credit:
Lawrence R. Batchelor/Collection Lawrence
Batchelor/C-011924

p. 26-27 — *National Archives of Canada*
Upper town Market, Quebec,
17 degrees below zero faht. 1873. Watercolor

p. 28-29 — *Museum of Civilisation, Library of Quebec Seminary, Quebec*
Dinner at a Canadien Seigneur, in Philippe Aubert de
Gaspé's, Les anciens Canadiens, Montréal, 1925

p. 30 — National Museum of Finland, Helsinki
Oil portrait of Pehr Kalm, 1764, by J.G. Geitel

p. 31 — *National Archives of Canada*
Menon, La cuisinière bourgeoise, 3rd edition, Paris,
Moronval, 1825.

p. 38-39 — *Museum of Civilisation, Library of Quebec Seminary,*
The Dinner of Ceremony at the Château, Louis Rossi
in Parkman, Francis Count Frontenac
and New France under Louis XIV, 1897.

p. 38 — *Museum of Civilisation, Library of Quebec Seminary, Quebec*
Le Bénédicité, in L'Opinion publique,
vol VII, N° 16.

p. 40-41 — *National Archives of Canada*
Dance at the Château St-Louis, 1801,Quebec,
George Henriot.

p. 54-55 — *Museum of Civilisation, Library of Quebec Seminary, Quebec*
Seigneurial Dues, C. W. Jefferys in Long,
Morden H. A History of the Canadian People,
Toronto, 1942

p. 56 — *Web site: rarebooks@ksu.edu / www.lib.ksu.edu*
The Art of Cookery

p. 62-63 — *National Archives of Canada*
James A. Quinn with a vegetable stand in front,
Russel Norton Collection, 1860. Quebec.

p.64-65 — *National Archives of Canada*
View of Quebec from Prescott door, 1860.
Watercolour and pencil on Velin paper.
Thomas M. (1838-1934)

p. 66 — *National Archives of Canada*
La cuisinière canadienne, Cover of a cookbook,
published by L. Perreault, 1840

p. 72-73 — *University Of Montreal Archives*
Housekeeping school in 1929. Unknown Author

p. 74-75 — Wikipedia.com
Title page of La physiologie du goût, 1848 edition.

p. 90-91 — *National Archives of Canada*
The Château Frontenac, dining room, Quebec,
coll. of pictures by Jules Livernois

p. 90 — *National Archives of Canada*
The Château Frontenac, view from outside, coll. of
pictures by Jules Livernois

p. 104-105 — Post card